회귀 경찰의

리셋 라이프

The Reset Life

회귀 경찰의 리셋 라이프 6

초판 1쇄 발행 2022년 1월 10일

지은이 ｜ 한길
발행인 ｜ 신현호
편집장 ｜ 이호준
편집 ｜ 송영규 최종건 정재웅 양동훈 곽원호 조정범 강준석 최성화
편집디자인 ｜ 한방울
영업 ｜ 김민원

펴낸곳 ｜ ㈜ 디앤씨미디어
등록 ｜ 2002년 4월 25일 제20-260호
주소 ｜ 서울시 구로구 디지털로 26길 111 JnK디지털타워 503호
전화 ｜ 02-333-2513(대표)
팩시밀리 ｜ 02-333-2514
E-mail ｜ papy_dnc@dncmedia.co.kr
블로그 ｜ blog.naver.com/gnpdl7

ISBN 979-11-364-2949-0 04810
ISBN 979-11-364-2581-2 (SET)

한길 현대 판타지 장편소설

Papyrus Modern Fantasy

회귀 경찰의

리셋 라이프

6

PAPYRUS
파피루스

1장. 4인조를 잡아라

4인조를 잡아라

모든 정리가 끝난 VIP룸.

뒤늦게 지원 연락을 받고 도착한 남대문서 형사들이 혀를 찬다.

수갑이 채워져 바닥을 구르는 다섯 연예인들.

넝마주이가 따로 없다.

단 두 명이 만든 결과라고 하기엔 너무 놀랍다.

"경위 이하나. 죄송합니다. 너무…….."

"넌 무슨 여자애가 겁도 없이!"

선배 이하나는 눈을 질끈 감았다.

그런데.

"잘했어. 아─주 잘했어! 어이구, 이 작은 체구로 어떻게 제압한 거야? 이소룡이야?"

선배 이하나는 눈을 동그랗게 떴지만, 종혁은 피식 웃

었다.

연예인이 관내에서 폭행을 저질렀다.

그것도 인기 최정상의 연예인들이 여성을 상대로.

솔직히 골치 아픈 일이다.

이들 소속사와 연관이 된 여러 곳에서 압력이 들어올 것이다.

그런데 여기서 대마초를 피웠다?

조폭이 관리하는 나이트클럽에서?

이땐 그 누구도 커버 못 친다.

기자들 앞에서 브리핑할 수 있는 엄청난 건수였다.

강력2팀 반장은 종혁을 봤다.

그의 눈이 반짝반짝 빛났다.

"광수대 대장 형님이 왜 복덩이라 부르는가 했더니…… 후배님, 졸업하면 우리 서로 올래?"

"하하하."

"쩝. 그래. 무조건 본청인데, 지방서가 눈에 들어올까. 그래도 한번 생각해 봐. 우리 서, 꽤 다이나믹하다?"

종혁을 툭툭 친 그는 담배를 물며 나갔고, 종혁은 감식반이 훑는 VIP룸을 보다 돌아섰다.

그런 그의 눈에 어수룩한 인상에 키가 큰 사내가 들어왔다.

아까 전 김강건 옆에서 볼을 잡은 채 쓰러져 있던 사내.

상황을 막으려다 맞은 거다.

그리고 미래에 안 좋은 선택을 하는 인물이다.

"선배님, 잠시만요."

"응? 왜?"

"이분과 할 말이 좀 있어서요."

"할 말? 응, 그래."

"감사합니다."

종혁은 그를 옆방으로 데려가 담배를 내밀었다.

"……감사합니다, 형사님."

불이 붙은 담배가 뽀얀 연기를 뿜는다.

"그런데 저를 왜……."

종혁의 눈빛이 가라앉는다.

형 친구에게 이용을 당하다 끝내 좋지 못한 선택을 하는 그.

어쩌면 친형이 묵인한 일인지 모른다.

"중배 씨."

"저, 저를 아세요?"

현재 무명이나 다름없는 가수인 그.

오늘 체포된 3인조 댄스그룹의 리더인 김정배의 친동생, 김중배.

"오늘 일을 보셔서 알겠지만 이제 형님 되시는 분과 다른 형들은 영원히 재기할 수 없을 겁니다."

"저희 형은!"

"한 그룹이잖습니까."

마약 문제다.

더욱이 김강건은 초범이 아니라 재범이다.

구제받을 길이 없는 셈이다.

"……하아, 형들. 정배 형."

김중배는 고개를 푹 숙였다.

종혁은 이 상황이 돼서도 형들을 걱정하는 그의 모습에 혀를 찼다.

"그러니 이젠 본인의 권리를 찾으셔야죠."

"예?!"

"저작권에 관한 권리를."

"……!"

김중배의 눈이 파르르 떨린다.

그걸 어떻게 알았냐고 눈으로 묻는다.

종혁은 변호사 명함 한 장을 내밀었다.

김중배는 경악했다.

'고, 고등법원 부장판사?'

"최종혁. 제 이름을 대면 무료로 해 줄 겁니다."

"……."

"잘 생각하세요. 이제 백수가 될 친형을 위해서 어떤 선택을 해야 할지. 그 손버릇 나쁜 양아치, 사기꾼 새끼를 계속 친한 형으로 생각해야 할지."

"……."

김중배가 나간 룸.

종혁은 담배를 물었다.

"부디 이번엔 좋은 선택을 하시길."

똑똑똑!

"음? 들어오세요."

문이 열리며 아까 맞고 기절한 전무와 오십대 장년인이 들어온다.

오십대 장년인이 허리를 꾸벅 숙였다.

"처음 뵙겠습니다, 도련님. 명동의 이성기가 인사 올립니다. 뭐 해?! 어서 사과드리지 않고!"

명동파 두목 이성기.

얼굴이 딱딱하게 굳은 종혁이 담배를 끄며 일어섰다.

뚜두둑.

"예의상 딱 한 번만 묻습니다. 마약도 팝니까?"

명동파 두목의 얼굴이 하얗게 질렸다.

* · * · *

KCK MIC 대마초 혐의!

팬 폭행! 악동인가, 악마인가?

그곳에 함께 있던 연예인은 누구?

대한민국이 난리가 났다.

―나 여기서 완전 연예인! 여기 완전 짱이야! 엄청 잘해 줘!

순환 근무 막판에 큰 사건을 해결한 이하나는 경찰청장에게 표창장까지 받으며 상황통제실로 보직 이동했다.

"그래요? 잘됐네요."

-고마워!

종혁이 뒤를 받쳐 줘서 그들을 잡을 수 있었다.

이하나는 정말 고마웠다.

-그러니까…….

"네?"

-걔네들도 CCTV에 잡히는지 유심히 살펴볼게. 진짜로 유심히.

곧 끔찍한 범죄를 저지르는 4인조.

종혁은 예전에 어디서 본 범죄자 같다고 둘러댔다.

"부탁할게요. 진짜 감이 안 좋거든요."

-응! 빠빠이!

전화를 끊은 종혁은 자신 쪽으로 다가오는 박경종 전무를 봤다.

풀이 확 죽어 있다.

"경찰님, 그땐……."

"전무님은 전무님 일을 했을 뿐이니 잊겠습니다. 조사 잘 받으세요. 마약만 안 팔았으면 금방 나올 겁니다."

명동파 두목은 마약 유통을 극구 부정했다.

마약반이 뒤지고 있으니 곧 유죄든 무죄든 판가름 날 것이다.

"가, 감사합니다."

용서를 받지 못하면 가만두지 않겠다는 큰형님의 엄포에 떨었던 전무는 가슴을 쓸어내리다 아차 했다.

"그리고 큰형님께서 그놈들 몽타주 쫙 뿌리셨다고 하

셨으니 너무 걱정 마십시오. 곧 잡을 겁니다."

종혁은 명동파에도 망치 빠치기 4인조를 찾아 달라 부탁을 했다.

"발견하면 나한테 연락만 하라고 하세요. 함부로 잡겠다고 나대지 말고. 그 지랄했다간 그놈들을 잡아도 찢어버릴 테니까. 빈말 아닙니다."

"……예!"

"가세요."

허리를 꾸벅 숙인 그는 남대문서 안으로 들어갔고, 종혁은 이마를 잡았다.

"후. 진짜 그 옘병할 새끼들 때문에 이게 뭔 짓인지."

그래도 거미줄은 쳤다.

'이제 잡을 일만 남은 거야.'

종혁의 눈빛이 차갑게 가라앉았다.

빠방 빠방 빵!

종혁은 피식 웃었다.

"벌써 오늘인가?"

오늘 저녁, 16강 진출을 위한 붉은 악마들, 태극전사들의 폴란드전 경기가 열린다. 벌써부터 거리에 닭장 차, 아니, 기동대 버스들이 줄을 서고 있었다.

띠리링! 띠리링!

"하, 또 누구야?"

-요! 브로-!

"준형이 형?"

-중구에서 일한다며? 오늘 광화문에 와?

"일단 지원은 갈 거예요. 왜요?"

-우리가 가니까! 우리 거기서 공연해!

"어? 못 한다고 하지 않았어요? 응원가 없어서?"

-아이 돈 노우! 급하게 연락 왔어!

"오, 그래요?"

종혁은 기분 좋게 웃으며 발을 뗐다.

중부서로 돌아갈 시간이었다.

* * *

"꺄아아악!"

"으아아악!"

특설 무대가 세워진 광화문.

뜨거운 열기를 내뿜는 붉은 물결이 벌써부터 파도를 친다.

모르는 사람과도 서로 팔을 두르고 응원가를 외친다.

수십만의 인구 집결.

장관이다.

하지만.

"사람들 차에 올라가지 못하도록 무조건 막고! 야 이씨 3구역! 거기 끌어내려! 다치면 좆 돼!"

경찰들은 긴장을 칼날처럼 벼리고 있다.

"해가 지고부터 시작이니까 밥 든든히 먹어 둬."

경찰 버스 안, 종혁의 말에 중부서 의경들이 화려한 도시락을 본다.

스테이크에 랍스터.

호텔 도시락이다.

"저, 저희만 이걸 먹어도 될지……."

"걱정 마. 오늘 지원 나온 전의경들한테 싹 다 돌렸으니까."

경찰들에게도.

"빡셀 텐데 먹을 게 부실해서 쓰나. 간식은 브랜드 햄버거다."

'돈은 이럴 때 쓰는 거지.'

박 수경을 비롯한 중부서 의경들은 종혁을 향해 조용히 손을 모았다.

"신이시여!"

피식 웃은 종혁은 다른 장소로 움직였다.

─칙! 최 생도. 나 박 과장인데 여기 좀 와 줘요.

"수신! 지금 갑니다!"

종혁도 바쁘게 뛰었다.

그렇게 시간이 흘러 해가 졌다.

커다란 스크린에서 선수들의 모습이 비친다.

그와 동시에 하늘을 무너트릴 듯한 함성이 울린다.

─앞 봐! 스크린 보지 마, 이씨!

우울해진 전의경들이 시민들을 향해 시선을 고정시킨다.

고생한다며 다독인 종혁은 밤하늘을 봤다.

그의 얼굴이 수심에 잠긴다.

“후우.”

수십만 인파가 모였기에 무슨 일이 일어날지 모른다.

하지만 그보다 더 신경 쓰이는 건 그 4인조다.

경찰이 처음 사건을 인식하기 이전에도 범행을 저질렀을 거라 추정되는 그들.

어떤 장소에서 누굴 공격했는지 모르기에 답답하다.

오늘 지원 때문에 치안에 큰 공백이 생겼기에 놈들이 움직이기에도 딱 알맞은 타이밍이다.

“별일이 없어야 할 텐데…….”

결국 촘촘히 쳐 놓은 거미줄만 믿어야 한다.

삐익!

드디어 경기가 시작됐다.

＊　＊　＊

2 대 0.

경기 결과는 대승이었다.

사람들은 미쳐 날뛰었고, 그 열기는 새벽까지 이어졌다.

그러다 지친 모두가 잠든 새벽 4시.

편의점 간판 불빛만이 비추는 어두운 골목길에서 육십 대 노인이 걸어 나온다.

허리에 가방을 두른 노인의 입가엔 미소가 맺혀 있다.

“흘흘흘.”

어젯밤 축구 경기에서 한국이 이긴 걸 보고 잠을 이루

지 못한 그.

피곤한데도 웃음만 나온다.

노인은 별이 떠 있는 하늘을 보며 손을 모았다.

"하나님 아버지, 우리 한국이 꼭 16강 돌파하게 해 주시고, 선수들 모두 다치지 않게 해 주십시오. ……아멘."

고요한 거리를 살짝 깨운 노인은 다시 새벽 장사를 위해 발을 뗐다.

"웩!"

갑자기 뒤에서 들려오는 목소리.

흠칫!

"술을 너무 많이 마셨나?"

"씨빠, 그렇게 처먹을 때부터 알아봤다!"

놀라 몸을 돌린 노인은 스쳐 지나가는 노란 머리와 갈색 머리 청년들을 보며 흐뭇이 웃었다.

'그래, 저게 청춘이지.'

그는 다시 걸음을 옮겼다.

부웅!

고무파이프를 휘두르는 듯한 소리만 아니면 말이다.

퍽!

'어?'

노인은 눈을 끔뻑였다.

왜 눈앞이 번쩍했는지.

왜 몸이 쓰러지는지.

그는 이해할 수가 없었다.

"오케이! 나이스 샷!"

"얼른 뒤져!"

방금 전 앞서갔던 청년들이 달려와 허리에 찬 가방을 뺏는다.

'아, 안 돼!'

절대 안 된다.

가방엔 뺏기면 안 되는 게 들어 있다.

얼마 전 할아버지 생신이라고 손자들이 한 푼 두 푼 모아 고사리 같은 손으로 내민 세상 가장 소중한 선물이 있다.

뻐끔뻐끔.

"에이씨. 이 영감탱이 왜 이렇게 힘이 좋아?"

"보자. 얼마나 있을…… 응? 사탕?"

"야, 뒤져 봐."

"어이! 너희들 뭐야!"

"씨발. 튀어!"

후다닥 달려가는 청년들.

노인은 코앞에 내팽개쳐진 사탕을 끌어와 품에 꼭 안았다.

'감사합니…….'

"영감! 괜찮아?! 피? 씨발! 야, 칼치! 얼른 119에 전화 걸어!"

"예, 형님! 여보세요?! 거기 119죠?!"

순식간에 깨어나는 거리.

그 모습을 편의점 바깥에 설치된 CCTV가 모두 지켜보고 있었다.

* * *

새벽, 관내에 삑치기 사건이 벌어졌다.

새벽 장사를 가던 노인이 둔기에 맞았다.

다행히 빗맞아서 뇌진탕으로 끝났지만, 머리는 자칫 죽음으로 이어졌을지도 모르는 부위다.

중부서 강력계가 뒤집어졌다.

꽈앙!

종혁은 제 차를 발로 찼다.

"이 개씨발 새끼들!"

빗맞은 게 아니다.

처음 다뤄 본 망치라서 제대로 때리지 못한 거다.

예상이 맞았다.

놈들은 경찰이 사건을 처음 인식하기 전부터 범행을 저질렀다.

그런데 문제가 있다.

"망치를 이용한 건 분명 6월 28일부터였는데?"

경찰이 이 사건을 처음 인식한 건 7월 3일.

첫 사망자가 발생하면서부터다.

고된 야근을 마치고 집에 가기 위해 지하보도를 지나던 사십대 회사원, 어린 세 아이의 홀어머니.

뒤통수가 함몰되며 즉사했다.

당연히 난리가 났다.

그래서 뒤져 보니 놈들이 6월 28일에도 범행을 저질렀다는 게 밝혀졌다. 4인조는 이때 처음으로 망치를 사용했다.

그 이전에는 망치에 의한 사건 자체가 접수되지 않았다.

아무리 뒤져 봐도 둥근 둔기에 의한 강도 사건은 없었다.

이후 이들 4인조에 의해 발생된 사건 중 사망자가 무려 4명, 뇌를 다쳐 심각한 장애를 입은 사람이 6명이었다.

성폭행도 2건이나 저질렀다.

놈들은 인면수심의 악마였다.

"대체 왜?"

아무리 생각해도 회귀 전보다 빨라진 게 이해되지 않는다.

"……서, 설마?"

'내가 나이트에 갔기 때문에?'

그게 아니라면 설명이 안 된다.

회귀 전과 현재의 교차점은 오직 그것 하나뿐이다.

종혁의 두 눈이 태풍을 만난 듯 흔들린다.

꽉 쥔 주먹에서 피가 뚝뚝 흘러내린다.

종혁은 가슴을 움켜쥐며 무너졌다.

아윽 아윽, 목구멍에 걸린 울음이 소리 없이 퍼진다.

"……죽인다. 너흰 정말 죽여 버린다."

악귀처럼 얼굴이 일그러진 종혁은 몸을 일으켰다.

작정하고 때린 걸 봤기에 형사들도 이 사건을 심각하게 인식하고 있다.

소극적으로 행동하지 않아도 됐다.

빠드득!
종혁의 눈이 사납게 타올랐다.

* * *

화창하게 맑은 하늘.
친구들과 함께 걸어가던 남성 4명에게 경찰이 다가선다.
"잠시 검문이 있겠습니다. 협조 부탁드립니다."
눈에 살기가 감도는 경찰.
4명은 고개를 끄덕일 수밖에 없었다.

단속이 강화됐다.
남성 4인이면 무조건 검문을 하고, 신원을 확인했다.
삑치기 전과가 있는 전과범들도 모두 소환됐다.
"아이 씨. 나 아니라니까요!"
"맘 잡고 사는 사람한테 이래도 됩니까?!"
"망치로 때린다고요?! 그럼 사람 죽어요, 죽어!"
"예! 제가 아무리 삑치기라지만, 사람 죽이면 발 뻗고
잠 못 잡니다!"
"시끄러워, 이 새끼들아!"
삑치기범들이 소환된 강력계.
머리를 노랗게 염색한 이십대 후반 남성이 사무실 입구
에 서서 헛웃음을 짓는다.
"내 발로 여길 올 줄 몰랐는데……."

그것도 영업 시작 준비로 한창 바쁜 저녁 8시에 말이다.

남에게 떳떳하지 못한 그의 직업.

웬만하면 경찰을 피해 다니지, 이렇게 찾아오지 못한다.

하지만 어쩔 수 없다.

이걸 안 하면 어떤 불이익을 당할지 모른다.

타는 가슴에 담배를 꺼내 들던 그는 아차 하며 다시 밀어 넣었다.

"……후우. 들어가자."

안으로 들어간 그는 눈에 들어오는 형사에게 다가갔다.

"저기…….''

"너 이씨. 아무튼 관내에만 있어! 알았어? 예, 무슨 일이십니까?"

상냥하게 물어 오는 형사의 모습에 그는 머리를 긁었다.

"제보 좀 하려고 하는데요."

"제보요?"

"예. 이번에 일어난 4인조 삑치기 사건 용의자 제보요."

"예?!"

이 형사뿐만이 아니다.

사무실 전체가 조용해졌다.

모두가 그를 믿지 못하는 얼굴로 본다.

사건이 터진 지 아직 채 하루도 지나지 않았다.

아직 기사로도 나지 않았다.

"아무래도 제가 그 사람들 중 두 명을 본 것 같은데……."

쿠당탕!

"막내! 회의실 치우고 얼른 모셔!"

"예!"

"아이고, 선생님. 왜 이제야 오셨어요."

얼굴이 환하게 밝아진 반장이 그의 손을 꼭 잡는다.

그러다 고개를 모로 기울인다.

"그런데 어디서 뵌 듯한데……."

손을 놓은 그는 뒤로 물러나 허리를 깊이 숙였다.

"안녕하십니까, 반장님! 풀문나이트 웨이터 돼지엄마입니다!"

"……응?"

모두가 멍하니 돼지엄마를 봤다.

"예, 도련님. 저 돼지엄마입니다."

중부서를 빠져나온 돼지엄마는 누군가에게 전화를 걸었다.

그에게 이번 일을 시킨 인물이다.

"말씀하신 대로 몽타주 그렸습니다."

─별말 안 하던가요?

"묘한 눈으로 꼬라, 아니 쳐다보셨지만, 별말 안하셨습니다."

조폭이 운영하는 나이트클럽의 웨이터가 찾아와서 목격자 증언을 했다.

그것도 사건이 터진 바로 그날.

곱게 보는 게 이상했다.

─흠. 수고했습니다. 그놈들 잡히면 매상 크게 올려 드릴게요.

"헛! 언제든 찾아 주십시오! 돼지엄마입니다! 예, 예. 들어가십시오!"

전화를 끊은 그는 담배를 물었다.

"푸후. 대체 이 사람은 정체가 뭐야?"

듣기론 경찰대 생도란다.

그런데 명동파 보스가 벌벌 떤다.

전무를 때려눕혔는데도.

예비 경찰과 조폭 두목.

더욱이 예비 경찰은 돈이 있어도 구입하지 못하는 한정판 명품 시계를 차고 있었다.

머릿속에서 이상한 시나리오가 쓰이고 있었다.

"……뭐, 나야 뽀찌만 받으면 되지!"

쥐똥보다 작은 월급과 인센티브로 먹고사는 그들, 웨이터.

곧 있으면 생길 인센티브에 돼지엄마는 희희낙락 걸었다.

"아차!"

그는 얼른 핸드폰을 꺼내 들었다.

"어, 대주야, 형인데. 내가 지금 몽타주 몇 개 보낼 거거든? 응. 외우고 있다가 그놈들이 너희 나이트 오면 연락 좀 해 줄래? 아니, 연락만. 아예 접근도 하지 마. 어, 고마워!"

'그 새끼들 분명 나이트 죽돌이었어.'

그들을 상대했던 웨이터에게 들었을 때 바로 눈치챘다.

여자와 원나잇을 하기 위해 나이트를 찾는 부류.

여자 없으면 못 살 놈들이다.

그는 아는 웨이터들에게 쫙 연락을 돌렸다.

한편, 전화를 끊은 종혁은 눈빛을 가라앉혔다.

"몽타주 뿌렸으니 더 빠르게 잡겠지."

망치를 이용한 첫 범행 날짜와 피해자가 달라졌다.

이젠 누굴 노릴지 몰랐다.

그러나 언제 일어날지는 짐작이 갔다.

'오늘 아니면 내일이야.'

분명 내일 안에 범행은 다시 일어난다.

그 안에 할 수 있는 건 다 해야 했다.

이를 간 종혁은 중부서 안으로 들어갔다.

이제 곧 근무 시간이었다.

"후배님!"

"……선배님?"

이하나의 얼굴이 울상이다.

'아.'

그날, 그들이 있었던 풀문 나이트엔 그녀도 있었다.

종혁에게 부탁도 받았던 만큼 죄책감에 시달리고 있을 게 뻔했다.

종혁은 담배가 고파졌다.

"후우."

담배 연기로 뿌연 중구의 어느 모텔 달방.

퍼억!

지갑이 허공을 날아 벽에 부딪친다.

그뿐만이 아니다.

쓰레기통 옆에 남자 지갑, 여자 지갑…… 온갖 지갑이 널브러져 있다.

"젠장! 나이트는커녕 라면 사 먹을 돈도 없네!"

노래방, 유흥 주점도 마찬가지다.

짜증이 달방 안에 퍼지자 안경을 낀 사내가 일어났다.

"씨발! 어디 가!"

짜증 가득한 목소리에 안경 낀 사내의 얼굴이 구겨졌다.

콱!

반곱슬의 목이 잡혔다.

"켁!"

"함부로 짜증 내지 마라. 죽는다."

목을 꾹 누르는 날카로운 칼과 웃는 눈.

말하는 입이 흥분으로 떨린다.

반곱슬 사내의 심장이 크게 흔들렸다.

볼을 툭툭 친 안경을 낀 사내는 목을 놓고 일어서며 얼어붙어 있는 동생들을 봤다.

"가자. 돈 벌러."

"……응!"

"오오! 두둑한 거 걸리면 노래방 가자!"

환하게 웃으며 일어나는 그들.

입술을 깨물던 반곱슬 사내도 얼른 몸을 일으켰다.

"씨발, 같이 가! 의리 없는 것들아!"

* * *

"뭐? 오늘 아니면 내일?"

동기들이 눈을 동그랗게 뜬다.

"왜?"

"돈이 떨어졌을 테니까."

삑치기 범죄자 대부분이 그렇다.

범행을 저질러 얻은 돈으로 유흥을 즐기다 그 돈이 떨어지면 슬그머니 기어 나와 다시 또 범행을 저지른다.

이걸 반복하다 잡힌다.

소매치기나 아리랑치기, 빈집 털이 등 절도 강도도 마찬가지다.

모두 내일이 없이 사는 놈들이다.

"아, 맞아. 그렇게 배웠지, 참."

그들은 심각해졌다.

곧 자신들이 있는 곳에서 범죄가 벌어진다는데 아무렇지 않게 생각할 수 없었다.

그런 그들에게로 얼굴이 딱딱하게 굳은 박춘득이 다가

왔다.

"다들 알겠지만 오늘 새벽 관내에 뻑치기 사건이 벌어졌습니다. 피해자는 새벽 장사를 나서던 육십대 남성입니다. 자식들 다 분가시키고 혼자 사시던 분이죠."

다행히 방금 전에 깨어났다.

중부서 모든 경찰들이 신에게 감사하다 인사했다.

그런데 깨어나서 한 첫마디가 이거랬다.

'내 손주들이 준 사탕은 모두 있나요?'

본인이 다친 것보다.

식재료를 사기 위해 챙겼던 돈보다.

5살, 6살배기 손자들이 준 선물부터 물었다.

누군가에 의해 짓밟힌 사랑들로 가득했던 사건 현장을 떠올린 형사들은 아무런 말도 할 수가 없었다.

이럴 때 경찰은 죄인이 된다.

'이제 편히 살 일만 남은 나이인데!'

이를 간 박춘득은 강력계에서 내려온 몽타주를 나눠 줬다.

"범인들 중 두 명이니까 외워 두세요. 하지만! 절대로 발견했다고 체포하려 들거나 신원 확인하려 들지 말고 지원 요청하세요."

사람에게 망치를 휘두른 악마들이다.

다칠 위험이 컸다.

국가에 의해 억지로 끌려온 것도 억울할 텐데, 다치게 둘 수 없었다.

"알겠습니까?"

"예!"

"그리고 5분 간격으로 상황 보고하고……."

박춘득은 평소와 달리 **빡빡하게** 말했다.

"모두 다치지 말고 오늘도 무사히 순찰 마칩시다! 출발!"

"출발-!"

* * *

넷은 곧 있으면 생길 돈을 떠올리며 희희낙락했다.

취객, 여성, 노인.

먹잇감이 넘치는 네온사인의 거리.

그들은 잔뜩 기대하며 걸었다.

하지만 그것도 잠시였다.

"잠시 검문이 있겠습니다."

네 명은 흠칫 몸을 멈췄다.

저 앞에서 네 명의 남성을 검색하는 경찰들.

안경 낀 사내의 눈빛이 흔들렸다.

'설마?'

하필이면 남자 네 명이다.

우연일 수도 있지만, 우연이라고 생각할 수 없었다.

곧바로 신원 조회를 요청하고 있으니 말이다.

'벌써?'

입술을 깨문 그는 다급히 입을 열었다.

"둘씩 떨어져. 5미터 이상."

"……으응."

"응."

같은 것을 본 그들은 잔뜩 굳은 얼굴로 서로에게서 떨어졌다.

검문을 하는 경찰들을 스쳐 지나가도 그들은 합류하지 않았다.

아니, 못 했다.

70미터 밖에서 걸어오는 네 명의 경찰과 의경의 실루엣.

그들은 필사적으로 서로를 모른 척하며 걷고 또 걸었다.

"이런 씨발-!"

화려한 네온사인도 꺼져 가는 새벽 2시.

결국 짜증과 굶주림을 참지 못한 반곱슬 머리의 사내가 조용한 대로변을 흔들었다.

"아아악!"

옆에 아파트 단지가 있지만, 반곱슬 머리 사내는 신경 쓰지 않았다.

담벼락 밖, 도로 쪽으로 조성된 나무와 수풀도 그 소리를 막지 못한다.

멀찍이 앞에서 걷던 안경 낀 사내는 담배를 물었다.

빈속의 담배라 구역질이 올라오지만, 이거라도 피우지 않으면 끓는 짜증을 풀 곳이 없다.

그런 담배도 이걸로 마지막.

"빌어먹을."

지금까지 경찰과 총 열두 번을 마주쳤다.

모두 충혈된 눈으로 누군가를 찾고 있었다.

아니, 자신들 넷을 찾고 있었다.

꼬르륵!

옆의 막내를 본 안경 낀 사내는 한숨을 길게 내뱉었다.

"죄, 죄송해요, 형. 배, 배가 고파서."

쿵쾅쿵쾅!

멀찍이 뒤에서 따라오던 두 명이 더 이상 참지 못하고 다가온다.

"야, 이제 어쩔 거야, 어?"

"맞아. 이러다간 여자가 문제가 아니라 굶어 죽어!"

"씨발! 넌 지금 이 상황에 여자 이야기가 나오냐?!"

"뭐? 씨발? 너 지금 씨발이라고 했냐?"

순식간에 분위기가 험악해진다.

안경 낀 사내는 겨우 참았다.

"가만있어 봐. 생각 중이니까."

그렇게 말했지만, 그렇다고 딱히 방법이 있는 게 아니다.

'쯧. 결국 중구를 벗어…….'

끼이익!

멀리서 택시가 선다.

"수고하셨습니다!"

"조심히 들어가세요!"

부우웅!

"아, 진짜 왜 여기에 서! 단지 안에 서면 되잖아!"

"얘가, 얘가 할증 무서운 줄 모르고!"

조용한 새벽하늘을 울리는 목소리.

모녀로 보인다.

딸은 여대생.

그들은 혀를 찼다.

여태껏 두 명을 한꺼번에 해 본 적은 없다.

하지만.

"……어떻게 할래? 깔까?"

오늘 허탕을 치면 내일 굶어야 한다.

좋아하는 나이트도, 노래방도 못 간다.

반곱슬 사내의 말에 셋은 잠시 고민했다.

"늙은 년은 까고, 젊은 년은 어?"

반곱슬 사내는 옆에 조성된 나무와 수풀을 가리켰다.

셋의 숨이 훅 달아오른다.

그러나 망설여진다. 입을 막아야 하기 때문이다.

입을 막는 데 가장 쉬운 건 죽이는 거다.

그러나 아직 입막음을 위해 사람을 죽인 적은 없다. 죽으라고 깐 적은 있어도.

그들의 숨이 더 뜨거워졌다.

"씨발, 왜? 쫄려? 내가 까?"

네가 대장을 자처해도 결국 별거 없구나 하는 눈빛.

울컥.

안경 낀 사내는 이를 갈며 몸을 돌렸다.

"……됐어. 까도 내가 까."

빠악 하는 소리와 함께 손에 생생히 전달되는, 무언가 부서지는 듯한 감촉.

제아무리 친구라도 그걸 양보할 순 없었다.

그의 입이 사납게 찢어졌다.

"잡기나 해."

"오케이."

"흐흐. 막내, 달려."

"네!"

후다닥!

막내가 달려 나가고 잠시 뒤 두 명이 뒤를 쫓는다.

안경 낀 사내도 발을 성큼성큼 내딛는다.

"야 이 씨발! 거기 서! 거기 안 서?!"

"아, 진짜 봐주라고요!"

흠칫 놀란 모녀가 뒤를 돌아봤다가 스쳐 지나가는 셋에 안도를 하며 다시 몸을 돌린다.

"잡았다!"

"아시바리 걸어!"

"아악! 봐줘요!"

코앞에서 활극을 벌이는 셋의 모습에 모녀는 웃음을 참으며 그들을 비켜 지나간다.

그 순간.

부우웅!

빠악!

"……어?"

여성은 눈을 껌뻑였다.

갑자기 엄마가 쓰러지고 있다.

'왜?'

그녀는 의아했다.

하지만 그 의문을 이어 가지 못했다.

"흡?!"

"끌고 가!"

갑자기 누군가의 손에 입이 막히며 몸이 뒤로 끌려간다.

그녀는 쓰러진 엄마를 향해 손을 뻗었다.

'엄마! 제발 누가 우리 엄마 좀-!'

그녀는 간절히 빌었다.

그리고 그 소원은 준비된 사람들에게 닿았다.

* * *

탁. 탁. 탁.

이하나가 각기 다른 4개의 영상이 흘러나오는 모니터를 뚫어지게 쳐다보며 키보드를 두드리고, 영상 속의 화면은 계속 바뀐다.

그녀뿐만이 아니다.

이 공간에 있는 모든 경찰들이 모니터를 보며 키보드를 두드린다. 정말 큰돈을 들여 업그레이드한 최첨단 CCTV

실시간 전송 시스템.

한 사람당 16개의 CCTV를 감시한다.

"후우."

눈이 빠질 것 같은 고통에 이하나는 잠시 고개를 들며 질끈 감은 눈가를 매만졌다.

그런 그녀에게 커피 한 잔이 내밀어진다.

"하나야, 벌써 2시야. 적당히 해."

퇴근을 미루면서까지 일을 하고 있다.

상황통제실 과장은 혀를 찼다.

"네 잘못이 아니잖아. 그땐 베테랑 형사, 아니, 신이라도 몰랐어."

"……잘 마시겠습니다."

서글피 웃은 그녀는 다시 모니터에 시선을 돌렸고, 과장은 오늘까지만 봐주자 다짐하며 돌아섰다.

'모르긴요. 한 사람은 알았어요.'

종혁이다.

종혁이 부탁했고 그러겠다 답했는데, 이 상황통제실에 앉아서 CCTV를 보는데도 놓쳤다.

비록 어제는 주간 근무였더라도 그녀 본인의 책임 같았다.

이하나는 입술을 깨물었다.

후룩!

그녀는 달콤한 커피로 정신을 깨우며 다시 눈에 힘을 줬다.

탁. 탁.

키보드 두드리는 소리가 다시 울렸다.

"응?"

갑자기 고개를 모로 기울인 그녀는 얼른 이전 화면으로 되돌렸다. 아파트 입구 건너편, 4차선 도로 뒤에서 아파트 입구를 찍는 CCTV.

웬 3명의 남성이 바닥을 뒹굴고 있다.

그 옆을 모녀로 보이는 여성 둘이 지나간다.

그 순간이었다.

"어? 어?"

검은 옷을 입은 사내가 손을 높이 들었다가 내려친다.

빠악!

들리지 않아야 하는데도 들리는 것 같은 소리.

그녀의 얼굴이 하얗게 질렸다.

"과, 과장님-!"

이하나의 외침이 상황통제실을 꿰뚫었다.

＊　＊　＊

순찰은 순조로웠다.

한국 경기가 없는 날이다 보니 평소와 같다.

취객들은 여전히 길거리에서 정신을 못 차리고, 절도 강도 폭행 범죄는 계속해서 일어난다.

경찰들이 찬 무전기가 계속 울려 댄다.

-상황 발생. 상황 발생.

또 사건이다.

이번엔 남자 셋이 한 여성을 아파트 옆에 조성된 나무와 수풀 사이로 끌고 갔다고 한다.

뒤이어 이어질 상황이 종혁의 머릿속에 그려졌다.

종혁과 의경들은 반사적으로 긴장하며 발을 뗐다.

사건 발생 장소가 근처였기 때문이다.

-정정한다! 모녀 중 모를 뒤에서 내려친 후 여성을 끌고 갔다!

종혁의 눈이 부릅뜨였다.

놈들이다.

촉이 그렇게 외치고 있었다.

-인근 순찰차는 출동 바람! 인근 경찰들도 지원 바람!

"나 먼저 간다!"

종혁은 땅을 강하게 박찼다.

"……후배님! 젠장! 우리도 달려!"

타다다다닥!

'제발! 제발!'

늦지 않아야 한다.

살아 있어야 한다.

맞바람이 얼굴을 찢을 듯하지만, 종혁은 무시하며 계속 땅을 박찼다.

오직 무사하길 바라는 일념으로 달렸다.

"……! ……놔! 싫어!"

뜨거워진 몸을 차갑게 식히는 피해자의 목소리.

'저기다!'

종혁의 고개가 돌아갔다.

그러자 보였다.

너무도 끔찍한 장면이.

……까드드드득!

거리에 키가 작은 여성이 누워 있다.

검은색 웅덩이가 그녀의 머리 근처에 고여 있다.

그녀의 옆, 허리까지 올 법한 나무 담장 안으로 더러운 엉덩이 골이 보인다.

그리고 그 주위를 세 놈이 에워싸고 있다.

더러운 엉덩이 밑에서 어떤 상황이 벌어지고 있는지 알아차린 종혁은 회까닥 돌아버렸다.

"야 이 개새끼들아-!"

종혁은 그들을 향해 몸을 날렸다.

"어-?"

뿌드득!

느려진 시간 속, 엎드려 있던 놈의 턱뼈가 뭉개지는 게 발끝으로 생생히 전달된다.

놀라는 여성의 눈이 보인다.

그 짧은 사이 알몸이 되어 발버둥 치던 그녀.

체념의 잿빛으로 물들어 가던 눈동자가 미약한 빛을 찾는다.

미안했다.

더 빨리 구해 주지 못해서 미안했다.

"튀이이이이어어어어!"

저런 놈들과 마주치게 해서 미안했다.

어머니를 다치게 해서 미안했다.

이렇게 구했다 한들 이 젊고 예쁜 여성이 제대로 살 아 갈 수 있을까.

종혁은 이성의 끈을 제 손으로 놓아 버렸다.

"크아아아아!"

종혁은 세 방향으로 튀는 놈들을 향해 양손을 뻗었다.

턱!

하지만 걸리는 건 하나.

상관없다.

"4인조 망치 뻐치기. 둘 도주. 흉기 소지. 아파트에서 농협 삼거리 방향. 제일빌딩 방향."

일단 이놈부터 죽이고 본다.

시간은 충분했다.

"그러니. 죽어."

눈이 완전히 돌아간 종혁은 짐승이 되었다.

"후배님!"

몇 십 초 뒤 도착한 생활안전과 경찰은 눈앞에 벌어져 있는 참상에 굳어 버렸다.

의경들도 마찬가지다.

"엄마…… 일어나 봐. 엄마!"

경찰복을 걸친 채 피투성이가 된 어머니를 흔드는 피해

자 여성.

수풀 안, 축 늘어진 턱을 붙잡은 채 눈물 콧물 흘리며 뒹구는 범인.

"오셨습니까."

종혁이 일어나자, 한쪽 무릎이 꺾이지 말아야 할 방향으로 꺾였음에도 사타구니만 잡은 채 꿈틀거리는 범인이 보인다.

"신고하려면 신고해 봐. 그땐 진짜 죽여 버릴 테니까."

흠칫!

바닥을 기던 둘은 몸을 움츠리며 필사적으로 시선을 돌렸다.

고작 몇 십 초. 마음마저 꺾였다.

푸스럭.

수풀을 빠져나온 종혁은 경찰을 봤다.

"앰뷸런스는요?"

"거, 거의 도착했대! 상황실에서 신고했어!"

고개를 끄덕인 종혁은 넋이 나간 채 어머니를 흔드는 여대생의 끌어안아 뒤로 뺐다.

놈들을 쫓고 싶은 마음이 간절하지만, 지금은 여길 지켜야 했다.

종혁은 동료 경찰들을 믿었다.

"그렇게 흔드시면 어머니께 안 좋습니다."

"……우, 우리 엄마 좀 살려 주세요, 형사님! 제발요!"

"곧 앰뷸런스가 도착한다니까 조금만 참아 봅시다. 박

수경. 옷 좀 벗어 줄래요?"

"아, 예!"

박 수경뿐만 아니라 의경들도 얼른 옷을 벗었다.

종혁은 그 옷들을 중년 여성에게 덮어 주며 경찰 조끼에서 손전등을 꺼냈다.

"……휴."

'다행이다. 동공 반응이 있어.'

맥박도 정상이다.

상처 부위를 만져 보니 골절도 없었다.

내출혈이 있을 수 있지만 일단은 안심이었다.

삐용삐용!

저 멀리서 달려오는 앰뷸런스.

"후우."

더 안심이었다.

─농협 삼거리로 도주한 범인 검거!

─순마 23 추격 중!

'일단 한 놈 검거.'

"후우우."

몸이 축 처지는 것 같았다.

종혁은 담배를 물었다.

* * *

아쉽게도 끝내 한 놈은 놓쳤다.

안경 낀 사내다.

택시, 오토바이를 뺏어 타고 도주했단다.

하지만 괜찮았다.

아니, 오히려 좋았다.

"그래. 잡혔으면 오히려 서운했지. 사지 멀쩡히 살아갔을 테니까."

안경 낀 사내. 4인조의 리더다.

그럴 자격이 없는 놈이었다.

종혁은 담배를 끄며 강력계로 올라갔다.

뻐억! 쿠당탕!

"불지 마라. 불지 마. 어? 불지 마아!"

쾅! 쾅! 쾅!

모두가 퇴근한 새벽 4시, 바닥을 뒹구는 갈색 반곱슬 머리의 머리채를 휘잡은 형사가 머리를 책상에 찍는다.

다른 형사들은 한쪽 소파에 앉아 해장국을 먹고 있다.

끼익!

취조하던 형사가 흠칫 놀라자 신경 쓰지 않는다는 듯, 계속하라는 듯 고개를 숙인 종혁은 다른 형사들에게 다가갔다.

씩 웃은 형사는 놈의 옆구리를 걷어찼다.

"여! 후배님!"

김강건 사건 때 풀문 나이트에 왔던 그 반장님이다.

남대문서, 혜화서, 주위 경찰서의 반장들도 있다.

"캬. 진짜 후배님 기수 짱이더라."

반곱슬 머리를 검거한 건 동기들이었다.

물샐틈없는 포위망을 짜더니 날아차기와 태클로 검거했다.

"저희 기수가 좀. 하하."

잘 가르친 보람이 있었다.

"그런데 이렇게 부실하게 드셔서 되겠어요?"

"왜? 이 정도면 진수성찬이지. 후배님이 이 새벽에 먹는 뜨끈한 국밥의 맛을 모르는구나?"

'왜 모르겠습니까.'

정말 질리도록 먹었다.

"그래도 불철주야 노력하시는데 이런 걸 드시면 안 되죠."

쿵쿵!

"배달 왔습니다! 흡?!"

"배달이…… 헉?"

종혁은 얼어붙은 배달부들을 향해 손짓을 했다.

"이쪽입니다. 들어와요."

우물쭈물하며 들어온 그들은 소파 앞 테이블에 음식들을 내려놨다. 형사들의 눈이 동그래졌다.

참치회에 족발, 보쌈, 치킨 등 뷔페 한 상이 펼쳐졌다.

"이 시간에 이런 걸 배달하는 곳도 있어? 아니, 그보다 참치회가 배달도 돼? 헉! 양주?!"

"요새 심부름센터에 시키면 다 해 주더라고요."

"심부름센터? 흥신소? 걔들 불륜 증거만 찾는 게 아니었어?"

종혁은 옅게 웃었다.

미래와 달리 전화로 배달 주문하는 게 전부인 이 시기. 최대한 늦게까지 하면서도 맛까지 있어야 하는 그들에게 있어 이건 신세계였다.

"강남 쪽에선 다 해요."

다만 비쌀 뿐이다.

"선배님, 드시고 하십쇼! 아, 여기요."

"어, 갈게!"

"감사합니다! 또 시켜 주십시오!"

종혁은 반장에게 양주를 따라 줬다.

"이거 참. 근무 시간인데…….."

"공무원은 6시까지가 근무 시간입니다."

"……흐흐, 그렇지?"

형사들에게도 모두 순배가 돌았다.

"크! 좋다! 녹네! 녹아!"

참치회까지 먹으며 몸서리친 반장이 눈빛을 가라앉혔다.

"왜? 두 놈 아작 낸 거 막아 달라는 건…… 아니네?"

칼날처럼 날이 선 말투가 누그러진다.

"도주할 우려가 있는 흉악범을 제압하다 약간 심하게 손을 썼을 뿐인데 무슨. 신경 안 씁니다."

4인조는 망치라는 살인 무기로 범행을 저지른 흉악범이다.

죽이거나 반신불수로 만들거나 총을 쏘거나. 이 세 가

지만 안 하면 어떻게 제압하든 용납이 된다.

혹여 징계가 있다 한들 미비한 수준이다.

알기에, 어설프게 제압하다가는 경찰이 다칠 수 있음을 상부도 알기에 용서한다.

인권위가 강화되는 미래라면 모르지만 이 시기엔 그랬다.

범인 잡다 내 식구 다치는 꼴은 볼 수 없다.

경찰청장부터 말단 순경까지 모두가 가지는 생각이다.

"오?"

'이놈 봐라?'

다 계산하고 박살을 냈단 소리다.

그것도 경찰 조직 문화에 대해 모를 햇병아리 생도가.

듣기론 짐승처럼 울부짖었다고 했는데 말이다.

뭐 이런 놈이 있지? 하고 헛웃음을 터트린 반장은 다시 낯빛을 굳혔다.

"그렇지. 어설프게 제압하다 놓치거나 피해자가 2차 피해를 입는 것보단 낫지. 잘했어!"

"예. 상황이 상황인지라 입을 막을 필요가 있었습니다."

강간, 강간미수 피해자들이 마음의 상처를 가장 크게 입을 때는 바로 현장 검거된 강간범이 헛소리를 지껄일 때다.

보복 암시.

이걸 들은 피해자는 더 이상 일상생활을 할 수 없게 된다.

"와! 나 진짜 미쳐! 후배님!"

"생각은 해 보겠습니다."

"캬! 눈치 좋고! 그래, 우리 서 진짜 나쁘지 않다니까! 흠, 그럼 이 뇌물은 뭐야?"

종혁은 눈을 빛냈다.

"안경 낀 새끼. 그놈 잡을 때 저도 함께 갈 수 있겠습니까?"

"……응?"

* * *

삐이. 삐.

2인 병실.

무릎 인대 골절 수술과 고환 제거 수술을 마치고 깨어난 4인조의 막내가 옆을 봤다. 얼굴에 붕대를 칭칭 감은 형.

어젯밤 일을 떠올린 막내의 턱이 덜덜 떨렸다.

어젯밤 그 경찰은 짐승이었다.

맹수였다.

"형……."

촤르륵!

한 의사가 카트를 밀고 들어온다.

"수액 갈아 드리겠습니다."

의사를 힐끔 본 막내는 입을 열었다.

"시, 신고할 거야?"

소년원을 다녀온 친구에게 들은 적 있다.

경찰도 신고할 수 있다고.

"으이……."

형이라 불린 이는 눈을 질끈 감았다.

다신 만나고 싶지 않은 종혁.

그냥 천벌을 받은 거라 생각하고 싶었다.

"나도……."

요도관을 통해 오줌이 빠르게 내려간다.

막내도 눈을 질끈 감았다.

다신, 절대로 다신 범죄를 저지르고 싶지 않았다.

그러면 또 종혁을 만날 수도 있으니 말이다.

드르륵 문이 닫히는 소리와 함께 경찰이 바깥에서 감시하는 병실엔 침묵이 내려앉았다.

"후."

병실, 아니 병원을 빠져나온 의사는 마스크와 의사 가운을 벗으며 핸드폰을 들었다.

"안심해도 될 것 같습니다, 지부장님."

–수고했어.

"……마지막 놈은 추격 안 해도 되겠습니까?"

–글쎄…… 그럴 필요 있을까?

믿는다는 듯 의미심장한 웃음소리.

"알겠습니다. 복귀하겠습니다."

그들의 입에서 나오는 말은 러시아어였다.

* * *

이태원의 한 모텔.

안경 낀 사내가 손톱을 깨문다.

'잡혔을까?'

일단 두 명은 확실히 잡혔다.

그 눈. 죽여 버리겠다는 의지로 가득했던 눈.

'정말 죽는다.'

그 눈과 마주쳤을 때 느꼈던 감각을 잊을 수 없다.

그 눈을 아직도 잊을 수 없다.

"빌어먹을…… 빌어먹을! 빌어먹을!"

쾅쾅!

그는 바닥을 내려치며 화를 토해 냈다.

"아악!"

띠리링! 띠리링!

숨까지 죽인 그는 핸드폰을 봤다.

이 번호는 자신들밖에 모른다.

자신과 다른 방향으로 도망쳤던 친구가 떠올랐다.

'잡혔나? 도망쳤나?'

뭐든 일단 통화 시간은 1분이다.

영화에서 봤던 전화로 위치 추적을 당할 때까지 1분이
었다.

그는 눈을 가늘게 뜨며 핸드폰을 들었다.

"어."

─씨발! 도망치느라 좆 빠지는 줄 알았네! 어디야?

"넌?"

혹시라도 경찰에 잡히게 됐을 때 말하기로 한 암호가

있다.

　-몰라, 씨발!

　"······."

　-니가 돈 다 가져갔잖아, 개새끼야! 어디냐고! 배고프다고!

　'후.'

　안경 낀 사내는 안심했다.

　암호를 말하지 않는다.

　하지만 아직 의심은 남아 있다.

　"됐고. 예전의 그 호텔 나이트 있지? 거기서 만나. 9시."

　-니미 씨팔! 나보고 굶어 뒈지······.

　탁!

　핸드폰 폴더를 닫은 그는 몸을 일으켰다.

　"줄 거 주고 서울을 떠야겠네."

　줄 건 줘야 했다.

　그래야 신고를 하지 않을 테니.

　그는 친구도 믿지 않았다.

　한편, 중부서.

　형사3팀의 반장이 반곱슬 머리를 쓰다듬는다.

　"그래. 네가 휘두른 거 아니잖아. 다 이 새끼가 한 거지. 그치?"

　"그, 그럼 저는······."

　"응. 약속대로 넌 공범 하자. 단순 가담은 좀 힘들고."

"감사합니다⋯⋯."

깊게 안도하는 모습을 지켜본 형사들은 비웃었다.

원래 이런 놈들은 의리라곤 쥐뿔도 없다.

"자. 얘 유치장에 다시 넣고, 우린 사우나나 하러 갑시다! 어우, 시간이 벌써 몇 시야?"

"그럽시다! 어휴. 진짜 출근하기 싫다."

"나도요."

상황을 지켜보던 다른 서 형사들도 기지개를 켰다.

"저 그런데⋯⋯."

"음?"

"얘 엄청 촉이 좋아서 짭, 아니, 경찰은 바로 알아차리는데⋯⋯."

형사들은 혀를 찼다.

가끔 그런 놈들이 있다.

아니, 많다.

대부분의 범죄자는 본인이 범죄를 저지르는 걸 알고 있기에 신경이 날카롭고 예민해서 뭔가 조금만 이상해도 일단 도망치고 본다. 그렇게 놓치는 범죄자가 굉장히 많다.

"흠. 옥떨메는 빼야 하나⋯⋯."

옥상에서 떨어진 메주를 뜻하는 옥떨메.

아주 못생긴 사람을 지칭하는 말이다.

그에 형사3팀 형사들이 콧대를 세우며 잘생긴 척을 한다.

반장들은 그런 그들을 어이없다는 듯 봤다.

"하. 씨부렁. 인물이 없네. 우리 후배님 정도는 돼야 나이트 안에 손님인 척 박아 놓는데."

몰래 웃음을 흘린 종혁이 입을 열었다.

"이렇게 하시죠?"

종혁은 이쪽을 쳐다보는 그들을 향해 입을 열었다.

형사들은 눈을 동그랗게 떴다.

* * *

쿵쿵쿵쿵쿵!

강렬한 비트가 흘러나오는 나이트클럽 입구.

"어서 오십쇼!"

안경을 벗고 온 사내가 입구 웨이터들을 훑는다.

"찾으시는 웨이터 있으십니까?!"

"됐어. 사람 찾으러 왔어."

그는 손을 저으며 발을 뗐다.

그런 그의 뒤로 굉음이 쏟아졌다.

과르릉!

나이트클럽 입구로 진입하는 붉은색의 스포츠카.

황소 엠블럼에 악마 이름. 한국에 스무 대도 들어오지 않은 차다.

"헉! 어서 오십시오! 야, 어서 문 열어 드려!"

문이 위로 올라가며 명품으로 도배한 몸 좋은 미남이 선글라스를 벗으며 내리고, 웨이터들이 90도로 인사한다.

'……빌어먹을.'

갑자기 초라해진다.

'개새끼. 언젠가 까 버린다!'

가슴을 만지작거린 그는 애써 외면하며 안으로 향했다.

그리고 그런 그를 지켜보던 웨이터 중 한 명이 핸드폰을 꺼내 들며 밖으로 향하고, 스포츠카에서 내린 종혁은 그 뒤를 느긋이 쫓는다.

지이잉!

"예, 여보세요?"

-도련님! 지금 그놈이…….

풀문 나이트의 돼지엄마가 놈의 위치를 말한다.

'이 자식 봐라?'

피식 웃은 종혁은 몇 발자국 앞에 있는 놈을 보며 입을 열었다.

"어, 나 도착했어. 룸에 있지? 알았어, 갈게."

힐끔 뒤를 본 사내는 열리는 문을 통해 안으로 들어갔다.

마침 가까운 곳에 친구가 있었다.

눈이 동그래졌다가 웃는 친구.

그런데 뭔가 좀 어색했다.

촉이 간질거렸다.

그는 친구를 모른 척하며 슬그머니 주위를 둘러봤다.

'흠?'

주위 남자들 모두 정장 차림에 명품 시계를 차고 있다.

이쪽을 신경 쓰지도 않는다.

안심한 그는 그제야 친구의 맞은편에 앉았다.

그러며 돈 봉투를 던졌다.

"이거면 한 달은 버틸 거야. 다음에 또 보자."

"어! 그래!"

"……뭐 해? 안 가져가?"

돈에 환장한 친구다.

돈 봉투를 던지자마자 가져가 액수를 확인해야 했다.

"아, 그게……."

다시 뭔가 이상한 촉을 느낀 그는 라이터를 떨어트리며 밑을 봤다.

무릎 위에 모아 올린 양손과 손을 덮고 있는 점퍼.

"씨발!"

"제길! 들켰다, 덮쳐!"

우르르 일어나며 달려오는 정장들.

'형사였다고?!'

깜빡 속았다.

그럴 수밖에 없었다.

비록 수갑 때문에 걸렸지만, 종혁이 작정하고 꾸며 줬으니까.

당황했지만 정신을 차린 그는 품 안에서 망치를 꺼내 들며 옆에 굳어 있는 웨이터를 끌어안았다.

그리고 그 목에 못을 뽑는 부분을 가져다 댔다.

"헉!"

"야! 그거 내려놔!"

주춤거리는 형사들의 모습에 그의 머리가 맑아졌다.

잘하면 도망칠 수 있다.

"비켜! 씨발, 비켜-! 이 새끼 죽는 꼴 보고 싶어?!"

"사, 살려 주세요!"

"……다들 물러나. 야, 무기 버려! 너 포위됐어, 이 새끼야! 밖에도 경찰들 깔려 있다고! 도망칠 곳 없어!"

"닥쳐! 거기, 오지 마! 죽여 버릴 거야!"

옆에서 소파를 넘어오는 형사에게 경고한 그는 주춤주춤 뒤로 물러서다 웨이터를 앞으로 밀쳤다.

그러고는 그대로 뒤돌아 달렸다.

"저 새끼 잡아!"

'좆 까!'

그는 문을 거칠게 밀며 망치부터 휘둘렀다.

"비켜! 비켜-!"

"꺅!"

"꺄악!"

그런 그의 정면에 종혁이 서 있었다.

겁먹기는커녕 씩 웃는 그 얼굴에 순간 눈이 돌아간 그는 종혁의 머리를 향해 망치를 크게 휘둘렀다.

"비키라고, 이 새끼야!"

"공격해 줘서 고맙다, 씨발놈아."

'뭐?'

정말로. 너무나.

다른 형사들에게 잡히지 않고 이렇게 도망쳐 줘서 고마웠다.

'내가 너 사지 멀쩡히 살아가게 둘 수 없다 다짐했거든.'

피해자는 평생을 후유증에 시달리며 살 텐데 짧게는 몇 년, 길게는 십 몇 년 후 다시 사회에 나와 멀쩡히 돌아다닐 걸 생각하니 속이 뒤집어져서 참을 수가 없었다.

더욱이 여차하면 또 똑같은 범죄를 저지를 놈이다.

회귀 전, 잡혀서 교도소에 들어갔음에도 반성은커녕 온갖 말썽만 부렸으니 백 퍼센트다.

'그러니!'

턱!

종혁은 눈빛이 멍해지는 놈의 망치 쥔 팔을 뱀처럼 휘감으며 업어쳤다. 그러며 그 잡은 팔을 쭉 잡아 올렸다.

우지끈!

팔이 품 안에서 기괴한 소리를 내며 끊어진다.

인대가. 근육이. 관절이. 뼈가.

우수수 끊기고 부러지며 꺾이지 말아야 할 방향으로 꺾인다.

콰앙!

"……아…… 끄아아아악! 으아아아아악!"

눈물 콧물 다 쏟아 내며 바닥을 벌레처럼 구르는 놈.

4인조의 리더이자 모든 범행을 계획하고 행한 악마 대가리.

그러나 아쉽지만 여기까지다.

더 이상하면 고의성이 다분해진다.

이런 놈 때문에 커리어를 망칠 순 없었다.

그래도 평생 왼손으로 밥을 먹어야 하니 피해자들에게 할 말이 생겨 다행이었다.

종혁은 그런 그를 향해 입을 열었다.

"박재순 씨, 당신을 강도치상, 살인미수 및 강간미수 혐의로 체포합니다. 당신은 묵비권을 행사할 수 있고……."

뒤따라 나오던 형사들이 미란다원칙을 읊는 종혁을 멍하니 본다. 그렇게 4인조 망치 뻑치기 사건이 마무리되었다.

2장. 불곰의 나라

불곰의 나라

－너, 인마. 너너너!

"죄송합니다!"

－……어휴. 이 새끼 얼른 형사로 만들어야지, 원! 내가 너 때문에 간이 썩는다, 썩어!

"하하. 술은 적당히 드세요."

－누구 때문인데, 이 자식아!

종혁은 얼른 입을 다물었다.

－……그래도 잘했어. 그런 놈들은 사정 봐주면 안 돼. 아후, 사이다 마신 것처럼 시원하네. 그럼 실습 마무리 잘하고.

"예! 들어가세요!"

전화를 끊은 종혁은 머리를 긁적였다.

벌써 세 번째 전화다.

첫 번째는 최기룡 학장이었고, 두 번째는 박춘득 과장이었다.

둘 모두 처음에 혼내다가 칭찬을 했다.

"음, 뭐, 다행이네."

솔직히 4인조 리더의 오른팔을 재기 불능으로 아작 냈을 때 징계를 받는 건 아닌지 걱정했었다.

하지만 그런 말은 일절 나오지 않았다.

정말 다행이었다.

"그래도 좀 더 영리하게 굴 필요가 있겠어."

지금이야 생도 신분이라 괜찮지만, 형사가 돼서도 이놈 저놈 다 분지르고 다니면 진급에 지장이 올 수 있다.

그건 좀 곤란했다.

이 마음을 되새긴 종혁은 손에 든 두 개의 꽃다발을 점검하곤 병실 문을 두드렸다.

"네, 들어오세요."

드르륵.

"어? 그때 그?"

머리에 붕대를 감은 어머니에게 사과를 먹여 주던 여성이 눈을 동그랗게 뜬다. 둘 모두 병원복을 입고 있다.

'다행이다.'

벌써 딱딱한 걸 씹을 수 있을 만큼 회복해서.

겉으론 별다른 후유증이 없는 것 같아서.

이 어머니도, 딸도, 그 어르신도.

종혁은 죄책감이 서린 미소를 지으며 안으로 들어갔다.

"몸은 좀 어떠세요? 괜찮으세요?"

병실 문이 등 뒤로 드르륵 닫혔다.

* * *

대-한-민-국!

4강이다.

대한민국 역사상 처음으로 월드컵 4강 진출.

사람들은 목이 터져라 응원했다.

몸이 부서져도 좋으니 결승, 우승을 하길 기도했다.

광화문, 서울광장, 그 외 전국 도시에 모인 붉은악마들은 기원하고 또 기도했다.

그 열망은 경찰들에게도 고스란히 전해졌다.

아니, 경찰들도 바라고 있었다.

"종혁아! 넌 우리나라가 결승 갈 것 같아?"

"4강에서 끝날걸?"

"뭐? 진짜?"

"너너, 그러는 거 아니다! 당연히 우승해야지! 개최국 존심이 있는데!"

'아쉽지만 여기서 끝난단다, 애들아.'

다시 못 올 영광의 그날. 아니, 이날.

정말 잘 싸웠고, 다시 봐도 눈물이 흐를 만큼 아름다운 투혼이고 벅찬 감동이다.

"애들아, 우리 실습 끝나면 뒤풀이할래? 회포도 풀 겸?"

정말 열심히 실습한 동기들이다.

이들 덕분에 중구의 치안이 많이 안정됐고, 종혁도 신경 쓸 게 꽤 많이 사라져서 좋았다.

4인조 삥치기 범인들 중 한 명도 용감하게 잡았다.

'아직은 등까지 맡길 순 없지만.'

그래도 충분히 생도로서 제 몫을 하고 있었다.

믿을 수 있었다.

동기들의 눈이 동그래졌다.

"찬성!"

"나도!"

"어디서 할 거야?"

"나이트?"

돼지엄마나 명동파 전무에게 갚아야 할 빚이 있다.

"얼레? 종혁이 너 나이트도 가?!"

"난 찬성! 나 나이트 한 번도 안 가 봤어!"

"자랑이다!"

"그러는 넌 가 보셨어요?"

"아니. 공부만 해서……."

"여기서 학창 시절에 공부만 안 한 사람 어디 있다고……."

학창 시절 공부와 운동만 죽어라 하고, 입학해서도 진도 따라가기 바빴던 동기들의 눈이 초롱초롱 빛난다.

"오케이. 그럼 마무리하고 토요일에 모여서 진하게 놀자."

"오오오오오!"

우아아아아아아아!

종혁은 피식 웃으며 인파를 가리켰다.

선수 입장이 시작된 듯 미쳐 날뛰고 열광하고 있다.

"자, 집중하고! 무대 다가오지 못하게 하고!"

"오케이!"

"라저!"

"그런데 종혁아, 진짜 우리나라가 여기서 멈출 것 같아?"

종혁은 끈질긴 동기의 말을 살포시 무시했다.

그렇게 그들의 현장 실습도 끝나 가고 있었다.

* * *

이제 정말 여름이었다.

그늘 밑에 있어도 사우나에 들어온 것처럼 푹푹 찌고, 땀이 흐른다.

그래서 경찰대 생도들은 1년 4계절 중 이런 여름이 제일 싫었다. 하루에 한 번씩 세탁을 해야 하기 때문이다.

"싫은데요."

"아니, 왜에. 좋은 기회잖아, 응?"

여전히 너저분한 임성원 교수의 교수실.

임성원 교수가 종혁의 앞으로 과자를 내민다.

"대단한 범죄학자들과 밥도 먹고, 사우나도 같이하고, 어? 산속 별장에서 삼겹살도 굽고?"

"지식 교류도 밤낮없이 빡세게 하고요?"

"……."

미국에 다녀온 후 매일같이 토론을 했다.

임성원 교수뿐만 아니라 해외 유명 대학 범죄학 교수들과도.

작년 겨울방학도 그렇게 뺏겼다.

그런데 이번 방학까지 그러라고?

"여름엔 쉴 겁니다."

현장 실습이 마치고 한 달이 넘게 지났다.

그동안 쉴 틈 없이 공부하고, 단련하고, 토론했다.

며칠 후 여름방학이 시작되면 아무것도 안 하고 쉬고 싶었다.

'뭐 이런 노력 덕분에 그 수사 기법도 마지막 단계지만.'

그래서 더 이상 토론이 필요 없다.

이젠 앞으로 일어날, 일어나고 있는 범죄에 대한 데이터를 쌓아야 할 때다.

시간이 해결해 줄 일이었다.

그리 오래 걸리지도 않는다.

'늦어도 내년 초.'

이후엔 새로운 범죄에 대한 데이터를 분석해 보강하면 된다.

그리고 이 점은 임성원 교수도 잘 알고 있다.

그럼에도 이렇게 꼬드기는 이유는 하나다.

"그분들이 그렇게 좋으세요? 만날 보시면서?"

"모니터로 보는 것과 실제로 보는 게 같냐? 나 심심하단 말이야. 가자. 응?"

"심심한 게 아니라 가면 막내라서 그런 거겠죠."

서로가 평등한 서양이라도 막내는 막내다.

"……."

'에라이.'

"잘 먹었습니다."

"종혁아! 종혁아–!"

종혁은 뒤도 돌아보지 않고 교수실을 빠져나왔다.

"안녕하십니까!"

"어, 그래. 수고해."

"옙!"

경례를 하고 멀어지던 후배들이 꺅꺅거린다.

'꺅! 종혁 선배랑 인사했어!'

'와, 진짜 포스가!'

멀리 떨어졌음에도 귓가를 울린다.

어이없다는 듯 웃는 종혁의 핸드폰이 울렸다.

"예, 최종혁입니다."

–날세.

권회수다.

–이번 여름방학 때 할 일 있는가?

"아뇨, 쉴 생각입니다. 왜 그러세요?"

–아, 그래? 아닐세. 그럼 그때 봄세.

"예?"

권회수는 가타부타 말없이 전화를 끊어 버렸고, 종혁은

핸드폰을 멍하니 보았다.

"……뭐야?"

지이잉! 지이잉!

핸드폰이 또 울렸다.

종혁은 미간을 좁혔다.

"예. 최종혁입니다."

-저예요, 최.

이번엔 나탈리아였다.

종혁의 얼굴이 활짝 펴졌다.

"어쩐 일이에요? 설마 데이트 신청?"

-호호, 그럴까요?

'오? 진짜?'

미녀와의 데이트는 언제나 환영이었다.

종혁의 심장이 후끈 달아올랐다.

그러나…….

주말 외박을 나와 도착한 레스토랑.

"최. 이번 여름방학 때 스케줄이 있나요?"

'이번 여름방학 때 나 찾는 사람 많네.'

"아뇨. 왜요?"

나탈리아가 눈을 빛냈다.

"잘됐네요. 그럼 우리 러시아에 놀러 올래요? 정식으로."

"네?"

'정식으로? 뭔 말이지?'

종혁은 눈을 껌뻑였다.

그리고 얼마 지나지 않아 그 말의 뜻을 알게 됐다.

* * *

러시아 경찰대학교에서 정식으로 요청이 들어왔다.

방학 동안 각 나라의 경찰 조직 시스템을 겪어 보고 장단점을 토론하는 게 어떻겠냐는 요청이었다.

일본처럼 생도 연수 프로그램이 아니라 생도 교환 프로그램이었고, 대학 수업이 아니라 실무 실습을 하자는 거였다.

당연히 경찰대에선 난리가 났다.

"러시아. 러시아. 러시아."

"인터폴. 인터폴. 인터폴."

한국 경찰행정 시스템에 고쳐야 할 부분이 있을까 진취적인 생각을 가진 생도들과 인터폴을 꿈꾸는 극소수의 생도들 가운데, 러시아어를 할 줄 아는 생도들이 인천공항에 모였다.

그 수가 무려 네 명이었다.

"러시아어 할 줄 아는 사람 많네."

"러시아 밀수 범죄가 제법 있잖아."

이제 내년이면 졸업할 4학년 선배가 다가온다.

"부산 경찰청 노리세요?"

러시아 밀수 범죄는 대부분 부산과 경상도에서 발생한다.

강원도에서도 일부 발생되긴 하는데, 강원도는 좌천 성향이 강해서 대부분 가려고 하지 않는다.

"본청 아니면 부산청이지."

서울 본청 다음으로 큰 부산 경찰청.

"야망 크시네."

"흐흐. 남자여, 꿈을 크게 가져라!"

"네에."

종혁은 한 발자국 옆으로 이동해 생각에 잠겼다.

'그 양반 내가 방학 동안 모스크바에 가야 한다니까 웃었지?'

그렇게 웃은 권회수는 선뜻 그러라고 말했다.

그런 이유라면 어쩔 수 없다고.

그리고 그냥 전화를 끊었다.

사람 찝찝하게.

'그나저나 러시아……'

옛날에 맺은 인연이 떠오른다.

지금도 가끔씩 연락을 하는 러시아 사내.

'오랜만에 볼 수 있겠…… 응?'

또각또각!

구둣발 소리가 다가온다.

고개를 돌린 생도들은 감탄했다.

마치 연예인처럼 아름다운 미녀다. 몸에서 풍겨나는 오라도 범상치 않았다.

그런 그녀가 앞에 서자 생도들은 의아해했다.

그러나 종혁은 아니었다.

종혁은 눈을 동그랗게 떴다.

"반가워요. 한국 경찰대 간부후보생도 여러분. 오늘 여러분을 러시아까지 안내할 주한 러시아 대사관 2급 서기관 안젤리나 마카로프예요."

나탈리아였다.

"……전체 차렷!"

척!

"경례!"

"충성!"

종혁을 비롯한 경찰 생도 다섯 명의 외침이 인천공항을 울렸다.

*　*　*

기이이잉!

이륙을 한 비행기 안.

"와, 미쳐. 나 미쳐."

네 명의 생도들의 엉덩이가 가만히 있지 못한다.

그건 인솔 교수도 마찬가지다.

그럴 수밖에 없었다.

그들이 있는 곳이 퍼스트 클래스, 아니, 전세기이기 때문이다.

그것도 A-380 초대형 여객기를 전세 낸 거다.

즉, 이 비행기 안에 경찰대 관계자 6명과 나탈리아, 그녀의 보디가드, 승무원을 제외하면 아무도 없는 거다.

종혁은 이 어이없는 상황에 입을 뻐끔거렸다.

"너무 무리하는 거 아니에요?"

우아하게 와인을 마시던 나탈리아가 살포시 웃는다.

"최를 초청하는 건데 당연히 이 정도는 해야죠. 당신이 우리 러시아에 해 준 게 얼만데요."

러시아가 미국 닷컴 버블에서 번 돈이 무려 한 나라의 국가 예산 규모다. 그것도 경제 순위 5위 안에 있는 나라의 예산.

그만큼 미국의 돈을 뺏었고, 9.11테러에 대한 정보 제공으로 미국에 빚까지 얹어 놨다.

그래서 이렇게 벌었음에도 미국은 찍소리도 못 하는 거다.

"즐겨요. 이 모든 게 당신을 위한 거니까."

'그리고 러시아를 기대해도 좋을 거예요.'

그녀가 봐도 참 재밌는 나라가 러시아다.

그런데 이 말을 하지 않는 건 나중의 재미를 위해서다.

'아, 그런 거였어?'

그렇다면 더 이상 부담을 가질 필요가 없었다.

종혁은 승무원을 불렀다.

"이 안에서 가장 비싼 술이 뭔가요?"

비행은 편안했다.

블라디보스토크를 경유하지 않고 바로 모스크바로 와서 피로도 많이 쌓이지 않았다.

그럴 거라 생각했다.

공항을 나서기 전까지만 해도 말이다.

"……종혁아."

"왜?"

"나 아까 비행기에서 뭐 잘못 먹었나 봐. 헛것이 보여."

"……우연이네. 나도 같은 걸 보고 있는 것 같거든."

"그웨에에에에에!"

"으아아아아악!"

저 멀리 사람이 불곰에게 쫓기고 있다.

그런데 그 누구도 신경 쓰지 않는다.

마치 일상이라는 듯.

쾅!

"어? 버스가 곰을 쳤다."

그러자 헐레벌떡 도망치던 남자가 그냥 제 갈 길을 간다.

종혁은 멍하니 나탈리아를 봤다.

그녀는 활짝 웃으며 양팔을 벌렸다.

"러시아에 온 걸 환영해요!"

"……."

러시아. 시작부터 범상치가 않았다.

　　　　　　　　　　*　*　*

　"와."

　"진짜 러시아 짱이다."

　인솔 교수와 생도들은 러시아가 내준 3층 주택을 둘러보며 혀를 내둘렀다.

　연립주택도 아닌 일반 주택이다.

　엘리베이터와 청소부, 요리사까지 있다.

　위치도 실무를 배우기로 한 내무본부와 5분 거리.

　러시아의 경찰 조직 편제는 한국처럼 경찰청이나 경찰서 이렇게 나눠지지 않고 내무행정기관 소속으로 되어 있는데, 이중 내무본부는 한국으로 치면 본청 정도로 생각하면 된다.

　정말 이런 대우를 받아도 되나 싶을 정도로 황송한 대접이었다.

　"그럼 전 가 볼게요, 교수님."

　"친구 집에서 출퇴근할 거라고 했지?"

　친구 집이 아니다.

　나탈리아가 따로 집을 구했다고 했다.

　"죄송합니다."

　"아니야. 베스트 프렌드라며? 난 오히려 네가 이런 좋은 숙소에서 지내지 못하는 게 아쉬운걸?"

　"하하."

"소속 부서가 달라서 주말에나 겨우 볼 테지만, 최 생도라면 잘할 거라 믿어."

이번 현장 실습에서도 사건을 두 개나 해결한 종혁이다.

"옙!"

경례를 한 종혁은 밖으로 나왔고, 나탈리아는 활짝 웃었다.

"고마워요, 나탈리아."

마음 씀씀이가 너무 고맙다.

"후훗. 겨우 이 정도로 놀라면 섭섭한데요?"

"네?"

"가요. 우리 러시아가 당신을 위해 마련한 집으로."

나탈리아는 종혁의 손을 잡아끌며 타고 온 리무진에 올랐다.

그리고 잠시 후 종혁은 입을 떡 벌렸다.

모스크바 외곽.

경호원이 지키는 커다란 철문을 넘어 정원을 지나 도착한 곳.

리무진에서 내린 종혁은 경악할 수밖에 없었다.

주택이 아니라 저택이다.

영화에서나 보던 귀족 저택.

주차장엔 한국에선 볼 수조차 없는 명차들이 줄줄이 서 있다.

"혼자 살기엔 적당한 크기죠? 혹시 작나요?"

"이게요?"

나탈리아는 장난이라는 듯 웃음을 터트렸다.

"이 저택을 중심으로 5만 평. 모두 최, 당신 거예요. 이런 게 각 대도시마다 있으니 러시아의 배짱이 겨우 이것밖에 안 되냐 실망하지 말았으면 좋겠어요."

종혁은 눈을 부릅떴다.

"어서 들어가 봐요. 안은 더 죽여주니까."

"……들어가죠."

안으로 들어온 종혁은 헛웃음을 터트렸다.

천장에 커다란 샹들리에가 달린 로비의 공기가 따뜻하다.

온풍기나 라디에이터를 튼 게 아니다.

레드 카펫 때문도 아니다.

바닥에서 뜨끈한 열기가 올라오고 있었다.

"보, 보일러도 깔았어요?"

"한국에선 모두 맨발로 지내잖아요?"

즉, 오직 종혁을 위해 역사적인 가치가 있어 보이는 이 저택의 바닥을 모두 뜯어내고 보일러를 깔았단 뜻이다.

'……돌겠네.'

이러면 해 준 게 있다 한들 부담이다.

부담이 팍팍 된다.

그래도 러시아가 종혁 본인을 얼마나 생각하는지 절절히 전해져 왔다.

나탈리아는 그런 종혁을 보며 속으로 주먹을 쥐었다.

'됐어.'

혹여 훗날, 어쩌다 종혁의 진짜 정체가 미국에 발각이 돼도 종혁은 회유되지 않을 거다.

미국은 이 정도로 해 주지 못할 테니까.

'미안해요. 순수하게 선물을 주고 싶었는데, 그럴 수가 없네요.'

그러기엔 종혁의 가치가 너무 대단했다.

그녀는 우울해진 마음을 꿀꺽 삼켰다.

"아."

"또 뭐가 있는 겁니까?!"

종혁은 제발 그러지 말아 달라 빌고 싶었다.

"아뇨. 사과를 하려고요."

"사과?"

"당신의 집인데, 당신이 첫 번째로 이 현관문을 열었어야 했는데 먼저 온 손님이 있어서요."

"……?"

저벅저벅.

2층으로 향하는 계단에서 누군가 내려오는 발소리가 들린다.

고개를 돌린 종혁은 눈을 크게 떴다.

"……빅토르?"

"오랜만입니다, 나의 최."

빅토르 로마노프.

1997년 동대문에서 불법 비디오 유통 상인에게 된통 당하려던 걸 구해 준 것으로 인연을 맺어 컨설팅을 해 준

그였다.

"안 그래도 찾아가려 했는데……."

"내가 참을 수 없었습니다. 보고 싶었습니다."

빅토르는 애정을 담아 종혁을 와락 껴안았다.

놀란 종혁은 곧 푸근히 웃으며 그의 등을 두드렸다.

"예. 저도 보고 싶었습니다, 빅토르."

* * *

사우나, 수영장, 영화관.

저택 안엔 없는 게 없었다.

"푸후우!"

미지근한 수영장에서 나온 종혁은 비치 체어에 앉아 보드카를 즐기는 두 사람에게로 향했다.

"수영 안 해요?"

"물을 별로 좋아하지 않아서 말이죠. 그보다……."

빅토르가 옆에 둔 가방에서 서류를 내민다.

"당신과 내가 세운 드바 로마노프의 매출입니다."

빅토르가 세운 드바 로마노프 유통.

로마노프의 두 번째 유통 회사란 뜻이지만, 종혁은 그런 자세한 내용까진 몰랐다.

서류의 숫자를 확인한 종혁은 혀를 내둘렀다.

"어마어마한데요?"

당장 올해 상반기 매출만 한화로 10조가 넘는다.

'고작 5년 만에 이 액수가 가능하다고?'

빅토르의 눈이 가늘게 뜨였다.

"확인을 안 했습니까?"

종혁이 가져가는 컨설팅 비용은 매년 순수익의 3퍼센트다.

"아, 죄송합니다. 일정 액수가 넘어가 버리니 그냥 그러려니 해 버리게 되더군요."

아니다.

이 돈 역시 박태규가 굴리고 있기에 신경 쓰지 않을 뿐이다.

"음, 이해합니다. 저도 솔직히 패션에 대한 러시아 여성들의 갈망이 이렇게까지 클 줄은 몰랐으니까요."

드바 로마노프의 매출 중 70퍼센트가 종혁이 제시한 SPA사업에서 나온다.

패스트 패션인 SPA 사업.

빅토르는 거기에 향수, 액세서리, 화장품 등을 추가시켰다.

"갈망하지 않은 게 아니에요. 그저 몰랐던 것뿐이에요. 자신들이 보는 것 외에도 세계엔 더 다양한 패션이 있다는 걸, 나이 든 여성도 얼마든지 꾸밀 수 있다는 걸."

그래서 드바 로마노프는 하나의 문화로 자리 잡게 되었다.

예뻐지고 싶으면 로마노프로.

러시아 여성이라면 누구나 갖는 생각이다.

"아."

"정답입니다, 마담."

빅토르는 나탈리아에게 윙크를 했고, 그녀는 살포시 웃었다.

눈썹이 꿈틀거린 종혁은 입을 열었다.

"그렇다고 해도 엄청나군요. 정말 수고 많았습니다, 빅토르."

"뭘요. 저도 에바 미진 킴의 도움이 아니었으면, 이 정도까지 성장하진 못했을 겁니다."

거리 패션에 대한 감각이 부족해서였다.

"미진?"

종혁의 눈이 커졌다.

"설마 그때 미진이 말하는 겁니까? 김미진?"

"예, 그 미진입니다. 현재는 드바 로마노프 패션 전략 기획의 1팀장입니다. 저희 회사의 중추죠."

너무도 뜬금없이 듣게 된 미진의 소식이다.

끔찍한 사건의 피해자였던 그녀.

빅토르와 함께 동대문을 돌아다니며 살고 싶다 외쳤던 그녀.

그래서 돕게 된 그녀.

"대체 언제? 어떻게?"

검정고시에 합격한 미진은 그녀의 목표대로 외국 전문 대학에 진학하며 이제 혼자서 자립해 보고 싶다고 한 뒤 연락을 끊었다.

가끔 메일을 보내며 생존 신고만 했다.

그래서 종혁은 열심히 공부만 하는 줄 알았다.

그런데 아니었다.

"회사를 세운 지 2년 정도 됐을까요? 갑자기 찾아와 취직시켜 달라더군요. 능숙한 러시아어로 말이죠."

"그랬습니까?"

'이놈의 자식.'

작은 배신감이 들었지만, 다행이었다.

생각보다 더 빨리 성공할 길을 찾아 걷고 있었다.

종혁은 가슴속에 남아 있는 짐을 덜어 버릴 수 있었다.

"……그녀의 일은 모르셨나 보군요."

"자기도 이제 대학생이라며 간섭 말라더군요. 쪼끄만한 게 한 대 맞으려고."

"초대할까요?"

종혁은 푸근히 웃으며 고개를 저었다.

취직을 했는데도 연락을 안 했다면 이유가 있는 것이다.

종혁은 그저 응원하기로만 했다.

"잘 부탁드립니다."

"걱정 마십시오, 나의 최. 그녀 역시도 제게 소중한 사람이니까요."

둘은 '믿는다, 믿어라' 하는 눈빛으로 서로를 뜨겁게 바라봤다.

"식품 유통 매출도 대단하군요."

싱긋 웃은 종혁이 서류 한 곳을 찍는다.

드바 로마노프의 나머지 매출은 식품이 차지한다. 대

부분 한국에서 수입하는 식품이다.

러시아 시장의 가능성을 알아차린 한국 기업들이 러시아에 진출했을 텐데도 무려 30퍼센트의 매출을 이어 가고 있다.

"모두 최의 컨설팅대로 맞춤 전략을 짰기 때문이죠."

캔커피를 팔기 위해 전국 마트에 온장고를 증정했다.

도시락 컵라면에는 온수기와 맛있게 먹을 수 있는 레시피를 써 놨다.

이 외에도 많았다.

덕분에 러시아에 진출한 한국 기업들은 재미를 못 보고 있었다.

이런 그의 말에 종혁은 의문을 표했다.

하나도 아닌 여러 개의 기업을 다 꺾었다?

아무리 선점을 했어도 이게 가능한가?

상식적으로 이해가 되지 않았다.

"후후."

종혁은 눈을 크게 떴다.

"설마?"

"예. 당신의 조언대로 옐친의 선거 캠프에서 인연을 맺은 분이 있습니다."

불끈!

종혁의 주먹이 꽉 쥐였다.

빅토르에게 이런 조언을 한 이유가 왜였던가.

2007년에 일어나는 바이칼호 보물 인양 사기 사건 때문이다.

러시아 공무원들까지 합세한 대규모 사기 사건.

그 조직이 저지른 사건이 아닌가 의심이 되는 사건.

빅토르가 사는 곳을 지역구로 삼은 정치인의 아들이 러시아 총책이 아닌가 의심이 되던 사건이다.

그를 쉽게 만나기 위해서였다.

빅토르가 정치인과 친해지면 소개받기 편해지니까.

이런 이유까지 합하여 빅토르를 만나고 싶었던 것이다.

"기대하십시오, 최. 소개시켜 주고 싶은 사람이 아주 많으니까!"

"오, 그래요?"

종혁의 눈이 빛나기 시작했다.

"거기 남자들. 이런 미녀가 있는데 계속 재미없는 이야기만 나눌 건가요?"

"아, 이런. 실례했습니다."

"저도요. 미안해요, 나탈리아. 그럼 우리 건배할까요?"

"좋아요!"

빅토르도 웃으며 잔을 들었다.

보드카가 담긴 세 개의 잔이 허공에서 부딪쳤다.

그렇게 러시아에 온 첫날이 저물어 갔다.

* * *

두두두두두두!

"헬기로 출근할 줄은 생각도 못 했는데요."

저 멀리 크렘린궁전이 보인다.

종혁은 묘하게 웃으며 입술을 달싹이는 나탈리아의 모습에 얼른 입을 열었다.

"뭐가 더 있다, 이 정도가 끝이 아니다, 하지 마세요. 정말 심장 아픕니다."

"호호호호호!"

종혁은 배꼽을 잡고 웃는 그녀를 보며 고개를 저었다.

"그보다 어디로 가는 겁니까?"

"FSB요."

"······네?"

러시아 연방 보안국 FSB.

"전에 저희 러시아를 가르쳐 달라고 요청한 적 있죠?"

"······예?"

종혁은 눈을 껌뻑였다.

숨이 막힌다.

족히 천 명은 뛰어놀 커다란 체육관인데도 숨이 막힌다.

덩치 큰 러시아 형님들이 내뿜는 사나이의 향기에.

그들이 보내는 초롱초롱한 눈빛에.

그래서 당황스럽다.

종혁은 나탈리아에게 귓속말을 했다.

"왜 이러죠?"

자존심으로 둘째가라 하면 서러워하는 러시아 남자다.

평균 수명 60세를 넘지 못하는 상남자들.

그중에서도 고르고 고른 상남자인 스페츠나츠를 가르치는 훈련 교관이다.

FSB 소속 대테러 부대 알파의 훈련 교관이다.

러시아 경찰에, 러시아 해외 정보국 SVR 요원도 있다.

중간중간 여성도 있다.

러시아를 가르쳐 달라는 나탈리아의 말이 맞았다.

이들이 러시아였다.

이들로 인해 러시아가 강해지는 것이다.

그런 러시아가 스타를 만난 소녀 팬 같은 모습을 보인다.

"……대체 무슨 약을 친 겁니까?"

"기량이 20퍼센트 상승할 거란 말밖에 안 했어요."

약을 친 게 맞다.

그것도 거하게 쳤다.

스페츠나츠, 알파, FSB, SVR.

고르고 고른 정예들의 기량이 20퍼센트 상승한다?

작전 수행 능력부터 달라진다.

못해도 2배.

종혁 본인이라도 눈이 뒤집힐 이야기였다.

"끙."

종혁은 한 발 앞으로 나섰다.

당황스럽지만, 수백 명을 모아 놓고 계속 기다리게 하는 건 예의가 아니었다.

"반갑습니다. 앞으로 약 두 달간 여러분들께 피지컬 트레이닝을 가르칠 최종혁입니다. 참고로 최가 성입니다.”

“전체 차렷!”

척!

“경례!”

“Слава России!”

러시아에 영광을.

종혁은 흐뭇하게 웃었다.

‘돌겠네.’

* * *

기이잉.

모스크바의 국제공항.

선한 인상의 삼십대 사내가 걸어 나오다 놀란다.

“춥지…… 않네?”

언제나 눈을 볼 수 있는 나라라는 러시아.

그런데 거리에 눈이 쌓여 있기는커녕 죄다 반팔이다.

그의 뒤를 따라 나오던 3명 중 삼십대 사내가 공손히
말한다.

“러시아도 여름엔 여름답습니다. 김 대리님. 한국으로
치면 가을 수준이지만 말이죠.”

대리급 직원이다.

일개 파견 직원인 그로서는 감히 쳐다보기 힘든 존재다.

“구웨에에엑!”

"……곰?"

부우웅! 쾅!

"버스가 받았어?!"

두 바퀴 구르더니 아무렇지 않은 듯 일어난다.

"흠. 입마개를 한 걸 보니 누가 키우는 곰인가 보네요."

"……곰을 키운다고요?"

"러시아인은 호랑이도 키웁니다."

김 대리는 할 말을 잊었다.

하지만 그것도 잠시였다.

그는 자신이 왜 이 러시아에 왔는지를 상기했다.

'프로젝트!'

조직, 아니, 회사에 입사한 이후 난생처음으로 진행하는 단독 프로젝트다.

곧 회사에서 진행할 일생일대 최대의 프로젝트를 수행하기 이전에, 시뮬레이션하는 프로젝트라서 무척이나 중요했다.

지원과 사원 3명에, 파견 직원까지 붙여 준 게 그 증거다.

'이 프로젝트만 제대로 성사시키면!'

승진가도, 탄탄대로다.

사원으로 입사해 어느새 8년.

참 오래 걸렸다.

그는 왼손에 낀 반지를 매만지며 치미는 희열을 억지로 눌렀다.

검은색의 큰 보석이 달아오른 머리를 차갑게 했다.

"수배에 문제가 생겼다고요?"

"음. 딱 알맞는 곳을 고르긴 했는데……."

말을 흐트리는 러시아 파견 직원의 모습에 김 대리는 고개를 끄덕였다. 파견 직원은 회사의 일을 원활하게 진행하기 위해 각 나라에 파견돼 인맥 네트워크를 형성하는 일을 맡는다.

회사에 있어 무척이나 중요한 포지션이다.

하지만 한 나라에 많아야 두 명 정도 파견되다 보니 혹여 허튼 생각을 하지 못하도록 사용할 수 있는 권한이나 자금이 꽤 제한된 편이다.

"누굽니까?"

"빅토르 로마노프. 그를 만나야 합니다."

빅토르 로마노프.

단 5년 만에 러시아 패션 유통을 한 손에 쥔 천재 사업가.

그들이 노리는 땅의 주인이었다.

* * *

저택에 도착한 종혁은 소파에 늘어졌다.

"하. 지친다."

죄다 훈련 교관이었다.

나이가 마흔 이상 되는.

그런 이들이 종혁 본인의 입만 바라본다는 건 심력을

엄청나게 소모시키는 일이었다.

종혁은 이대로 아무것도 안하고 싶었다.

아무것도 안하고 있지만, 더 격렬하게 안 하고 싶었다.

저벅저벅.

"꼭 소금물에 절인 배추 같군요."

"……출근 안 했습니까?"

"어제부터 휴가입니다."

"나쁜 CEO네요."

"좋은 CEO죠. CEO가 먼저 휴가를 가야 직원들도 마음 놓고 휴가를 갈 테니까요."

종혁은 한 손엔 고기 꼬치, 다른 손엔 보드카 병을 든 빅토르를 어이없다는 듯 쳐다봤다.

몸에서 숯 냄새가 강하게 나는 게 직접 구운 듯했다.

옷차림도 팬티에 가운만 입고 있다.

저택을 자기 집처럼 이용하고 있었다.

띠리링! 띠리링!

"아, 잠시 이것 좀."

종혁은 넘겨받은 꼬치를 한 입 물었다.

'어? 맛있는데?'

소도 맨손으로 때려잡을 덩치인데 손맛이 있는 듯했다.

"글쎄요, 내가 왜 휴가 중에 당신들을 만나야 하는지 모르겠군요. 이 번호를 어떻게 안 건지 모르겠지만, 다신 걸지 않아 줬으면 좋겠습니다."

단호히 전화를 끊은 빅토르는 미안하단 표정을 지었다.

종혁은 고개를 저으며 보드카를 낚아챘다.

"무슨 일 있어요?"

"한국에서 온 기업가인데 절 만나고 싶다는군요."

"한국이요?"

"아마 그쪽일 겁니다."

캔커피와 도시락 컵라면 등을 만드는 기업.

작년부터 유통망을 넘겨 달라 귀찮게 굴고 있었다.

상의도 없이 러시아에 진출해 놓고 뻔뻔하게.

옐친 선거 캠프에서 인연을 맺은 그가 아니었다면, 맨 땅에 헤딩해 가며 이룩한 걸 모두 뺏길 뻔했다.

"최, 혹시 불쾌한……."

"아니요. 신경 안 씁니다."

냉혹한 비즈니스의 세계다.

잘못도 저쪽이 먼저 했다.

같은 한국인이라도 두둔하고 싶은 마음은 없었다.

"……역시 당신과 인연을 맺은 건 제 인생 최고의 행운인 것 같습니다."

"하하."

어색하게 웃는 종혁을 보는 빅토르의 눈이 뜨거워진다.

"최. 갑작스럽겠지만, 이제야 말할 수 있을 것 같습니다."

"……?"

"이 정도면 저도 충분히 성공했다고 볼 수 있습니다. 당신이란 천재에게 꿀리지 않을 만큼."

짧지만 강렬했던 종혁과의 추억.

이후 빅토르는 한 가지 마음을 계속 품어 왔다.

"무슨! 빅토르!"

"그러니 최."

빅토르는 손을 내밀었다.

"나와 친구가 되어 주시겠습니까?"

헤어지기 전 나누었던 인사말.

'성공해서 봅시다.'

그건 빅토르가 스스로에게 한 다짐이었다.

어린 천재와 비교하면 한없이 부족했던 본인에게 한.

"......"

갑작스러운 말이다.

하지만 진지하다.

그래서 더 당황스럽다.

종혁이 빅토르를 도운 건 순수한 호의가 아니었기에.

그에게 받아야 할 게 있기에.

당황스러울 수밖에 없었다.

그런데 내밀어진 손이 떨리고 있다.

소도 때려잡을 만큼 덩치가 크고, 성공한 사업가임에도 이성에게 고백한 아이처럼 떨고 있다.

'......못 당하겠네.'

아무래도 그 정치인의 아들은 나탈리아에게 소개시켜 달라고 해야 할 듯싶었다.

어차피 사건이 발생하는 시기는 2007년.

명분을 쌓을 시간은 넘치도록 많았다.

생각을 정리한 종혁은 그 손에 보드카 병을 쥐여 주었다.

"우린 이미 친구 아니었던가요?"

"……!"

"전 친구가 아닌 사람에게 집을 내주지 않습니다."

"최! ……하하핫!"

배를 잡고 웃은 빅토르는 눈가를 훔치며 종혁의 팔을 잡아당겼다.

"일어나시죠!"

"음?"

"이 뜻 깊은 날을 축하해야죠! 러시아의 밤을 찢어 보는 겁니다!"

"아…… 음. 오늘은 피곤한데요."

종혁도 가고 싶지만, 정말 피곤했다.

"'쇠뿔도 단김에 빼라'라고 했잖습니까! 지금 가는 겁니다!"

"응? 한국어를 어떻게……."

"자, 갑시다. 남자는 고작 이런 걸로 피곤해하지 않는 겁니다."

"아, 잠깐. 잠깐만! 진짜 힘들다고―!"

종혁은 그렇게 끌려갔다.

* * *

철판으로 만든 표적지나 타이어 따위가 세워진 전술 사

격장.

가슴 앞에 팔짱을 낀 수백 명이 선글라스와 커다란 헤드셋을 낀 채 사격장을 응시하고, 스타트 지점에 선 갈색 머리의 오십대 중년인이 숨을 고른다.

"후우."

삐이!

스피커에서 머릿속을 흔드는 날카로운 소리가 울려 퍼지자 중년인이 권총을 뽑아 들며 방아쇠를 당긴다.

빵! 빠바방!

대지를 찢어발기는 총포음.

철판 표적지에서 땅땅 소리와 함께 불똥이 튄다.

그렇게 몇 초가 지났을까.

러시아 연방 보안국 FSB 대테러 부대 알파의 훈련 교관인 오십대 중년인은 마지막 표적지를 맞추고 손을 들었다.

-11초 03.

"……뭣?"

중년인뿐만 아니라 지켜보고 있던 수백 명의 훈련 교관들도 경악했다. 종혁에게 트레이닝을 받기 며칠 전, 그들은 신체 능력 데이터를 객관적으로 뽑아냈다.

그때도 이 전술 사격을 했는데, 당시 중년인의 기록은 11초 05.

무려 0.2초나 앞당겨진 거다.

단순히 컨디션이 좋다고 해낼 일이 아니었다.

'고작 일주일 훈련받았을 뿐인데 0.2초가 단축됐다고?'

그들은 전율했다.

그러나 그건 중년인의 심정만 못했다.

'내, 내 최고 기록은 10초 08인데…….'

그것도 육체가 최전성기였던 삼십대 중반에 기록한 거다.

이후로 그의 육체는 나날이 쇠락해 갔다.

무슨 수를 써도 기록은 나날이 떨어져 갔다.

구멍 뚫린 모래시계처럼.

그걸 다시 되돌린 거다.

'다시 그때로 되돌아갈 수 있다고?'

세상 그 무엇도 두렵지 않던 시절.

이젠 술자리에서나 찾는 그 시절.

울컥한 중년인은 다급히 종혁을 찾았다. 나머지 수백명의 훈련 교관들도 마찬가지였다.

그러나 그들처럼 가슴 앞에 팔짱을 끼고 있던 종혁은 그런 그들의 시선을 느끼지 못했다.

'여자가 여자랑…… 키스를…….'

그것도 개방된 나이트클럽 무대에서.

이제 스무 살도 안 된 어린 가수들이.

말을 들어 보니 요새 한창 러시아에서 인기를 끌고 있는 2인조 가수라고 했다. 그것도 커플.

역시 어메이징 러시아라 할 수 있었다.

뭐든 상상 이상이었다.

"음?"

뜨거운 시선이 느껴져 고개를 든 종혁은 이쪽을 쳐다보는 훈련 교관들의 모습에 당황했다.

'쩝. 중요한 날인데 한눈을 팔았네.'

오늘은 지난 일주일 동안 행해진 피지컬 훈련의 결과를 점검하는 날이다.

머쓱해진 종혁은 검지를 들어 허공에 원을 그렸다.

계속 진행하라는 신호였다.

그에 훈련 교관들은 어이없다는 듯 웃었다.

'기록을 무려 0.2초나 앞당겼는데, 동요하지 않다니!'

'허. 이 정도는 당연하다는 건가?'

고작 일주일 만에 0.2초 단축이다.

그런데 앞으로 약 한 달 반의 기간이 더 남아 있다.

훈련 교관들의 피가 뜨겁게 달아오르기 시작했다.

-일리나, 앞으로.

"예!"

러시아 대외 정보국 SVR의 훈련 교관인 사십대 여성 요원이 앞으로 나서며 팔을 축 늘어트렸다.

삐이!

번개처럼 뽑힌 권총이 사람처럼 생긴 표적지를 향해 불을 뿜었다.

우글우글.

플라스틱 식판을 든 훈련 교관들이 줄을 선 식당.

행복한 식사 시간이건만 그들의 표정은 썩 좋지 못하다.

"끙. 이 나이에 풀 따위를 먹어야 한다니."

"어쩔 수 없잖아. 이 빨간 고기를 보고 참자고."

정말 먹기 싫지만, 유연성과 반응속도 등 신체 능력 향상을 위해 꼭 먹어야 하는 야채.

하루 권장량이라는 이상한 명칭 아래 식판에 수북이 쌓인 채소와 과일을 보니 암담하기만 하다.

"빌어먹을! 마요네즈라도 뿌리게 해 줘!"

"아님 보드카라도!"

"보드카 아니면 죽음을!"

"마더 보드카!"

식당이 순식간에 개판이 됐다.

"어휴. 저 영감탱이들 또 저러네."

"놔둬. 내일 눈을 뜨지 않아도 이상하지 않을 나이잖아."

러시아 남성 평균 수명 60세 미만.

이제 고작 오십대임에도 죽음의 그림자는 가까워져 있었다.

"최, 하루 권장량이라는 게 정말 있는 말이야?"

빨간 고기, 제육볶음을 한 쌈 크게 싸서 먹던 종혁이 맞은편에 앉은 스페츠나츠 훈련 교관을 봤다.

오십대임에도 성인 여성 허벅지만 한 팔뚝이 인상적이다.

"KGB 출신이라고 하지 않았어요?"

CIA와 더불어 세계 최고의 스파이 기관이었던 KGB에 세계 최고의 부대로 손꼽히는 스페츠나츠다.

보다 빠른 작전 수행을 위해서라면 당연히 신체를 연구해야 했다. 이런 종혁의 말에 같은 테이블에 앉은 다른 교관들도 어이없다는 듯 봤다.

"……최. 우린 나치가 아니야."

'이게 나치까지 갈 일이라고?!'

"아니, 스파이었다면서요. 그랬다면 신체 능력 향상을 위한 비법들을 많이 수집했을 텐데요?"

"뭐, 그러긴 했지. 약재로 만든 탕을 분석한다든가, 그걸 바탕으로 만든 약물로 기초 신체 능력을 향상시킨다든가 이런 실험들은 했지."

그 외에도 여러 실험을 진행했지만, 이건 극비라서 말할 수 없었다.

다만 말할 수 있는 건 그렇게 만들어진 결과물의 맛은 정말 끔찍했다는 거다.

"그래서 네게 얼마나 고마운지 몰라."

비록 마요네즈 같은 기름진 것을 여태까지처럼 먹진 못하지만, 그래도 맛과 영양까지 모두 잡았다.

마치 수십 년 동안 연구를 한 것처럼 체계화되어 있다.

맛있게 먹으면서도 기존보다 수월하고 안전하게 신체 능력 향상을 꾀하고 신체 밸런스를 맞춘다.

피지컬 훈련뿐만 아니라 이것도 보물이었다.

아니, 이 둘은 한 쌍이었다.

'맞아. 이 시기엔 이랬지.'

중요한 순간, 이를테면 경기에서 힘을 폭발시키는 게 전부인 거다. 얼마나, 몇 번이나.

딱 거기에만 초점을 맞춰 육체를 완성시키고 보수하는 거다.

"데이터가 없는 게 아니라 방향성이 다른 거였네요."

이 시기의 방향성은 단단하고 강인한 콘크리트 같은 육체다.

만들기도 쉽고, 보수도 쉽다.

데미지를 계속 받으면 결국 무너질 걸 알면서도 그땐 전성기가 끝난 후이기에 신경 쓰지 않는다.

이걸 버티지 못하고 일찍 은퇴하면 그의 재능은 거기까지로 치부된다.

그러나 미래엔 다르다.

보다 길게 선수 생활과 전성기를 이어 가기 위해, 은퇴 후에도 몸을 지키기 위해 연구가 이뤄진다.

콘크리트처럼 단단하고 강인하면서도 탄력적이고 유연하기까지한 고무 같은 육체.

여기에 정신적 스트레스를 줄이기 위해 맛까지 잡는다.

"이걸 토대로 러시아군의 식단도 바뀌겠지."

그렇게 말한 중년인의 눈이 아련해졌다.

'이젠 안심하고 은퇴할 수 있겠어.'

세계에선 최고로 손꼽히는 특수부대지만 그에겐 병아

리 같아 불안했던 스페츠나츠들과도 이젠 이별할 수 있을 것 같았다.

"은퇴하고 뭐 하시게요?"

그의 작은 혼잣말은 종혁에게 들렸다.

"뭐, 고향에서 광부나 하지 않겠어? 마침 금광도 개발된다 하고."

'아직까지도 금광이 있나 보네.'

역시 자원의 넘치는 나라, 러시아다운 말이었다.

"흠. 그럼 퇴직금을 미리 당겨 받아서 투자하는 것도 나쁘지 않을 거예요."

"투자?"

"이를테면 광부들을 위한 편의 시설? 공중목욕탕? 뭐든 광부보단 나을 거예요. 몸도, 마음도. 경호원 같은 건 안 하실 거잖아요."

그럴 거였으면 이 말부터 꺼냈을 거다.

"……맞아. 이젠 누가 죽는 걸 보기 싫거든."

충분히 이해할 수 있는 말이었다.

아침에 '다녀오겠습니다.' 하고 웃으며 나간 동료가, 후배가, 선배가 저녁엔 영안실에 누워 있는 걸 보게 될 때마다 정말 미쳐 버린다.

순직 처리도 안 될 땐 이 짓을 계속해야 되나 회의감마저 든다.

"아마 이 친구들도 같은 마음일걸?"

테이블에 쓸쓸한 웃음이 번진다.

이럼에도 일을 관두지 못하는 그들의 마음을 종혁은 이번에도 이해했다.

국가에 대한 충성.

내 가족을 지키겠다는 마음.

약자를 보호하겠다는 맹세.

기저엔 다 이런 족쇄가 채워져 있다.

스스로 찬 족쇄가.

국민을 위해 목숨을 바치는 이들은 모두 이런 족쇄를 차고 있다.

"그러니 최!"

"네?"

"너도 전술 사격에 대해 배워 보지 않겠어?"

"……예?"

"우리 러시아의 보물이 범죄자 따위를 잡다가 총 맞게 둘 순 없잖아! 안 그런가, 동지들?!"

"맞소!"

"옳소!"

"아, 아니! 필요 없는데요!"

총기 사건이 무척이나 희귀한 한국.

그런 한국 경찰에게 총은 쏴서 맞히라고 있는 게 아니라 던져서 맞히라고 있는 거다.

"괜찮아, 괜찮아. 우리가 정말 병아리 다루듯 세심하게 가르쳐 줄게. 우리가 이 분야의 스페셜 리스트야!"

"아니이!"

"이봐, 세브첸코! 뭐부터 가르칠 거야?!"

"당연히 시작은 마카로프지!"

"그렇지! 마더 러시아는 마카로프지! 글록 따윈 꺼져!"

"오오오! 러시아! 러시아—!"

분명 술을 마시지도 않았는데, 취한 것처럼 서로 어깨 동무를 하며 노래를 부르는 그들의 모습에 종혁은 얼굴을 쓸어내렸다.

"……그래. 배워서 나쁠 건 없겠지."

이왕 이렇게 된 거 경찰청 사격 대회 입상을 준비해도 될 것 같다. 인사고과에 꽤 플러스가 되는 사격 대회를.

탕! 탕타타탕!

빈 탄창을 뺀 종혁의 입가에 미묘한 미소가 그려진다.

'이야, 이거 재밌네?'

표적지에서 팅팅 불꽃이 튀니 제법 쏘는 맛이 있다.

표적도 하나도 놓치지 않았고, 속도도 나름 빨랐다.

처음 하는 전술 사격이라고 해도 이 정도면 제법 준수하다고 할 수 있었다. 헤드셋을 벗은 종혁은 뒤따라온 훈련 교관을 봤다.

"……."

왜인지 멍해 있는 그.

지켜보던 교관들 중 선글라스를 벗고 눈을 껌뻑이는 이도 많다.

"어때요? 괜찮아요?"

"……뭐야. 왜 잘해?"

'사격의 신인가?'라는 말도 나온다.

하지만 그럴 수밖에 없다.

극한으로 단련된 신체가 느려진 시간 속에서 표적을 찾고 최적의 동선으로 움직인다.

잘하지 못하는 게 이상했다.

'그러게 내가 필요 없다고 했잖아요.'

종혁은 멍하니 쳐다보는 그들을 향해 어깨를 으쓱였다.

3장. 시베리아

시베리아

드바 로마노프 유통 본사의 회장실.

두꺼운 시거가 타오르며 희뿌연 연기를 뱉는다.

시거를 내려놓은 빅토르는 눈앞의 동양인, 아니, 스스로를 고려인이라 소개한 이들을 무심히 쳐다봤다.

"반코 킴이라고 했습니까?"

끈질기게 매달리기에 귀찮아서 만나 줬더니 제법 흥미로운 이야기를 한다.

"편하게 김 대리라고 불러 주십시오, 회장님!"

김 대리는 하얀 코트를 어깨에 걸친 빅토르를 보며 싱글벙글 웃었다.

그러나 속내는 좀 달랐다.

'이게 사업가라고?'

거리에서 봤으면 러시아 마피아로 오해할 외모다.

눈빛도 배부른 맹수처럼 사납기 그지없다.

"김 대리라……."

빅토르는 앞 테이블 위에 놓인 명함을 봤다.

일라이자 채굴 러시아 지사.

한국에 본사를 둔 채굴 전문 기업이다.

그래서 단 한 번도 이름을 들어 본 적 없는 것 같았다.

러시아에서 채굴을 한다면 가문의 레이더에 걸리지 않을 수 없으니 말이다.

"그러니까 내 땅에 매장된 그 금을 노린다고요."

"……알고 계셨습니까?"

"모를 수가 없죠."

그렇지 않았다면 오지 시베리아에 있는 그 땅을 예전에 팔아 버렸을 것이다.

주위엔 하얀 눈과, 목재로도 못 쓸 나무만 가득한 쓸모없는 땅.

대신 작은 금광이 하나 있는 땅.

빅토르가 10살 때 아버지에게 받은 선물이다.

'내게 주어진 기회를 모두 날려 버렸으면 그거나 개발하려고 했었지.'

로마노프 가문의 직계는 마흔 살이 되기 전까지 총 다섯 번 창업할 기회가 주어지는데, 매번 천만 달러씩 지원을 받는다.

방계는 그 반절.

사업에 가시적인 성과를 보이면 그 이상도 지원해 준다.

다만, 그걸 모두 날리면 결국 사는 동안 가족이나 친척에게 선물로 받은 건물이나 땅 정도나 운용하며 살아야 한다.

그래서 평소엔 잊고 지내다가 가끔 토끼나 여우 사냥이 생각날 때나 겨우 떠올리는 곳이 이 땅이다.

"그런데 그 금광은 채산성이 별로 없을 텐데요?"

깊숙이 묻혀 있는데 매장량도 적다.

순이익이라고 해 봤자 기껏해야 5천만 달러나 나올까.

5백만 달러라도 건지면 다행이었다.

"로마노프 회장님에겐 미흡할지 몰라도 저희 같은 작은 기업에겐 정말 엄청난 기회입니다! 부디 기회를 주십시오!"

"작은 기업?"

"작다고 해도 모두 베테랑들로 채워진 탄탄한 회사입니다!"

빅토르는 고개를 끄덕였다.

이들이 확보했다던 인물들을 보니 죄다 채굴 쪽에서 20년 이상씩 구른 사람들이다.

그것도 죄다 러시아인이다.

그중엔 빅토르에게도 낯익은 이름과 얼굴 사진도 있었다.

'이 사람 가스트롬에 있었던 것 같은데…….'

러시아 국영 가스 기업, 가스트롬.

언젠가 아버지 손잡고 따라갔을 때 본 현장 소장 중 한 명이었던 걸로 기억한다.

가스 채굴과 광물 채굴은 엄연히 다른 분야지만 마음이 쏠린다.

툭! 툭!

빅토르는 검지로 소파를 두드렸다.

"한국에 본사를 두고 있다고요?"

"예! 믿지 못하시겠다면 지금 바로 본사와 통화 연결을 하겠습니다!"

"그건 됐고."

전화를 어찌 믿나.

따로 알아보면 될 일이다.

'흠. 한국이라……'

한국이라 하니 절로 종혁이 떠오른다.

그런 천재, 러시아 정부가 그런 선물을 서슴없이 줄 만큼 엄청난 능력자임에도 한국을 너무나 사랑해 한국의 경찰이 되려는 존경하는 어린 친구.

또 드바 로마노프 유통을 이렇게까지 키울 수 있었던 이유도 한국산 제품 때문이다.

'가문에 채굴 기업이 있긴 하지만……'

한국에서 왔다니 마음이 좀 약해진다.

이런 점도 있지만, 가문에 개발을 맡겼다간 5백만 달러가 아니라 백만 달러나 겨우 건질 거다.

지원하는 게 있기에 더 깐깐해지는 가문.

"뭐 나한테 이 땅만 있는 것도 아니고."

"예?"

"아닙니다. 신중히 검토해 보도록 하겠습니다."

"가, 감사합니다! 그럼 연락 기다리겠습니다!"

허리를 꾸벅 숙인 김 대리가 물러나자 빅토르는 옆에 놓인 전화기를 들었다.

"예, 빅토르입니다. 조사해 줄 것이 있습니다. 한국에 본사를 둔 채굴 기업이라는데…… 1시간. 예. 기다리겠습니다."

전화기를 내려놓은 그는 시거를 물었다.

희뿌연 연기가 다시 도자기나 명화, 금으로 화려하게 꾸며진 회장실을 채워 갔다.

띠리링! 띠리링!

전화기를 든 그는 들려오는 말에 입꼬리를 비틀었다.

"귀엽게 구는군."

이미 그 땅 근처 마을 주민들에게 금광이 개발될 거라 홍보를 했단다. 아직 허락을 하지 않았는데도.

그만큼 간절하다는 의미로 받아들인 빅토르는 고개를 끄덕였다.

'그래. 개발하게 하자.'

별로 쓸모도 없는 땅, 이번 기회를 빌어 한국에 진 빚을 갚는 것도 나쁘지 않을 것 같았다.

"예, 수고하셨습니다."

반코 킴이라는 신분도, 일라이자 채굴이라는 회사도 모두 있는 회사다. 재무재표까지 확인한 가문의 정보팀의 말이니 의심할 여지가 없다.

죄다 KGB 출신인 가문의 정보팀.

모스크바 대학의 경영학과를 졸업한 반코 킴이 전공과 상관도 없고 러시아도 아닌 한국의 채굴 기업에 입사 한 게 좀 걸리긴 하지만, 세상살이 마음처럼 안 된다는 걸 알고 있는 빅토르는 대충 넘겨 버리며 몸을 일으켰다.

"최에게 놀러 가자 해야겠군."

토끼와 여우 사냥.

친구이기에 취미를 공유하고 싶었다.

추억을 공유하고 싶었다.

그의 입가에 기대감이 차오르기 시작했다.

한편, 다음 날.

모스크바의 한 모처에서 대기하던 김 대리는 빅토르의 전화를 받고 입술을 비틀었다.

"러시아 사람들은 화끈하군요."

한국이었으면 몇 날 며칠이 걸렸을 일인데, 겨우 하루 만에 도장을 찍자고 한다.

계약을 맺을 테니 그 땅으로 오라고 했지만, 어차피 가 야 했기에 오히려 고맙다.

"모두 대리님의 출중한 러시아어 실력 때문 아니겠습 니까."

파견 직원의 말에 김 대리는 진저리를 쳤다.

'내가 이걸 배우기 위해 어떤 지랄을 했는데!'

프로젝트가 확정되고 7개월.

러시아인들과 부대끼며 하루 24시간 온종일 러시아어뿐만 아니라, 러시아에 대한 모든 걸 뼈에 새겼다.

이젠 꿈에서라도 다시 겪고 싶지 않은 순간이었다.

"그럼 시민 투자 모집을 진행합시다."

이번 프로젝트의 꽃 중 꽃.

시민 투자 모집.

정확한 명칭은 다단계 투자 모집이었다.

"예!"

입술을 비튼 그들 모두 몸을 일으켰다.

* * *

휘이잉!

차가운 바람이 불어온다.

높이 솟은 나무들이 움츠린다.

동물들이 겨울을 준비하는 늦여름의 적막한 숲을 사부작사부작 풀 밟는 소리가 깨운다.

허공에 퍼지는 입김이 숲에 열기를 더한다.

웨에엥!

짝!

"씨부럴, 모기."

모기 쫓는 약을 다시 바른 종혁은 따끈한 캔커피를 입에 가져갔다.

다시 고요해진 숲이 지친 그의 몸과 마음을……

웨에엥! 짜악! 짝!

종혁은 얼른 숲속 오두막으로 들어갔다.

한쪽 벽엔 사슴 머리 박제가 걸려 있고, 바닥엔 곰 가죽이 깔린 오두막엔 여우 모피로 만든 털모자가 굴러다닌다.

"산책을 벌써 끝낸 겁니까?"

"시베리아에도 모기가 살 줄은 몰랐습니다."

어젯밤에 도착했을 때만 해도 날벌레가 많다 싶었는데, 그게 모기일 줄은 꿈에도 몰랐다.

"큭큭. 시베리아 모기가 지독하긴 하죠."

오늘 새벽 관리인이 가져온 양식 토끼의 가죽을 벗기던 빅토르가 키득키득 웃는다.

"조금만 기다려요. 내가 아주 기가 막힌 토끼 스튜를 만들어 줄 테니까!"

빅토르가 5년 전 한국에 왔을 때 구매한 압력밥솥을 가리킨다.

고무처럼 질긴 고기도 단시간에 야들야들하게 만드는 마법의 냄비.

이걸 먹고 여우나 토끼 사냥에 나서는 거다.

종혁은 한쪽 벽에 걸린 사냥총, 아니, 저격총을 봤다.

흔히 드라고노프라는 저격용 총.

800미터 바깥에서도 적을 정확하게 맞힌다는 총이다.

훈련 교관들에게 총기에 대한 교육을 받으며 외웠다.

종혁은 압력밥솥에 물을 올리는 빅토르를 보며 맥주를 마셨다.

아침에 일어나 술로 시작하는 휴가.

너무 좋았다.

"음?"

달그락! 달그락!

빨간 속살을 드러낸 토끼를 한 손에 쥔 채, 찬장과 냉장고를 뒤지던 빅토르가 당황한다.

"왜요? 무슨 문제 있어요?"

"……마늘이 없습니다."

종혁도 덩달아 심각해졌다.

"그거 큰일이네요. 토끼 고기는 누린내를 잡지 못하면 먹기 힘든데."

언젠가 토끼 탕을 먹어 본 적이 있기에 확실히 알고 있다.

별다른 처리를 안 해도 쉽게 먹을 수 있는 돼지고기나 소고기와는 180도 다르다.

꼬르륵!

이렇게 배가 고파도 누린내를 잡지 못한 토끼 고기는 먹을 수 없다.

"우유는요?"

"없습니다. 끙. 역시……."

종혁은 보드카를 응시하는 빅토르의 모습에 흐뭇이 웃었다.

"마을에 가서 마늘을 사 오죠."

빅토르의 생각은 이걸 거다.

보드카에 취해 미각을 죽여 버리든가, 아님 보드카를 넣어서 술맛으로 먹든가.

둘 다 사양이었다.

'이놈의 러시아인들은 보드카를 무슨 마법의 재료로 생각하나!'

종혁의 그 생각은 맞았다.

보드카를 사랑하지 않으면 러시아인이 아니다.

보드카만 있으면 뭐든지 가능하다.

겁쟁이도 용사로 만들고, 오줌조차 어는 추위도 이겨 낼 수 있게 만드는 마법의 물.

러시아인이라면 누구나 가지는 생각이다.

"음…… 어쩔 수 없군요. 고민할 시간에 사 오는 게 빠르겠습니다."

"제 말이 그겁니다."

둘은 어젯밤 벌인 모닥불 파티의 흔적 옆에 세워져 있는 차를 타고 근처의 마을로 향했다.

부우웅!

한적한 시골 마을의 풍경이 차창 밖으로 스쳐 지나간다.

구름 한 점 없이 화창하게 맑은 하늘 아래, 트럭에 사료를 싣는 어느 농부와 어디론가 우다다 뛰어가는 아이들.

아침임에도 슈퍼 앞 나무 의자에 앉아 보드카를 병째로

들이켜다 '다친다!' 하고 소리치는 어르신들.

한쪽에 순찰차를 세워 놓고 잠든 시골 경찰.

'……에라이.'

한국의 시골 풍경과 별반 다를 게 없는 러시아의 시골 풍경.

외모만 다를 뿐이다.

"여깁니다."

"오, 크네요?"

이런 시골에 세워진 마트라곤 생각할 수 없을 만큼 크다.

"응? 로마노프?"

Романов рынок.

로마노프 마켓이란 뜻이다.

빅토르는 쑥스럽다는 듯 웃었다.

"가문의 사업체 중 한 곳입니다."

"아, 가문에서 유통업을 하나 보군요."

5년 전 천만 달러의 자본금을 가지고 있던 빅토르다.

부모님이 마트 체인을 운영한다고 해도 이상할 게 없다.

둘은 마트 안으로 들어갔다.

마트 안엔 없는 게 없었다.

가전부터 생활용품, 심지어 안경점까지 있었다.

어젯밤 숲속 오두막으로 향할 때 웬만한 건 다 샀기에 딱히 필요한 게 없던 둘은 마늘이나 여러 향신료만 들고 계산대로 향했다.

'어? 말고기 육포다.'

언젠가 먹어 봤을 때 썩 괜찮았던 말고기.

그때의 기억이 떠올라 한 봉지를 집어 들고 몸을 돌렸던 종혁은 고개를 모로 기울였다.

계산대에 앉은 긴 금발 머리칼의 캐셔와 빅토르가 서로를 멍하니 보고 있다.

"설마 빅터?"

"……올가."

"와, 이게 몇 년 만이야!"

"그래, 오랜만이야."

캐셔는 반가워하는데, 빅토르는 낭패 어린 표정이다.

'이건 또 뭐 하는 시추에이션이야?'

"잘나가는 사업가가 됐다는 말은 아빠에게 들었어! 옷차림이 멋진걸? 정말 사업가 같아!"

"하하. 이번에 셋째 낳았다고?"

"응. 딸이야!"

"널 닮았으면 아주 미인이겠는걸? 아, 최 미안합니다. 오랜만에 친구를 만나서. 올가? 인사해. 이쪽은 내 친구인 최. 한국에서 왔지."

"러시아에 온 걸 환영해요, 최!"

"만나서 반갑습니다, 올가. 그런데 빅토르와는 어떤 사이인지?"

"아, 그게……."

왠지 당황한 빅토르가 입을 열려고 했지만, 그보다 올가의 답이 빨랐다.

"빅토르의 오두막과 땅의 관리인이 제 아빠예요!"

"……아하."

종혁은 그제야 둘의 관계를 이해했다.

빅토르가 왜 불편한 모습을 보였는지까지도.

종혁은 음흉하게 웃으며 빅토르를 봤다.

"아하아?"

빅토르의 얼굴이 화끈 달아올랐다.

"큼. 그게 최…….."

"응? 왜 그렇게 얼굴이 빨개? 무슨 일 있어?"

"아니, 올가 그게…….."

'……오호라? 이게 또 그런 거였어?'

머릿속에 한 편의 영화가 그려진다.

어릴 적 아버지의 손을 잡고 오두막에 도착한 도시 소년 빅토르. 때마침 그 땅의 관리인으로 고용된 아빠를 따라온 시골 소녀 올가.

두 소년소녀의 풋풋한 러브스토리가 아니다.

한 소년의 애달픈 짝사랑 스토리다.

'그럼 이 마트도 설마?'

액셀을 과하게 밟는 종혁의 심장이 설렌다.

재밌다. 무척이나 재밌다.

종혁의 미소는 더욱 짓궂어졌다.

그 순간.

툭! 툭!

누군가 어깨를 두드린다.

'이 중요한 순간에 누가!'

짜증이 나면서도 순간 계산대 앞에 너무 오래 있었다는 걸 깨달은 종혁은 몸을 돌려 사과를 하려고 했다.

"역시 최였군!"

"……세브첸코 씨?"

스페츠나츠의 훈련 교관 세브첸코.

'당신이 여기서 왜 나와?'

종혁은 눈을 껌뻑였다.

* * *

셋, 아니, 올가까지 넷은 일단 마트를 나섰다.

시원한 바람이 부는 마트 주차장에서 그들은 캔커피를 하나씩 쥐었다.

"여기요, 아저씨."

"고마워, 올가."

잘 아는 듯한 둘의 모습에 종혁은 머리를 긁적였다.

"세브첸코 씨 고향이 여기일 거라곤 생각도 못 했네요."

"나도 최가 이곳에 있을 거라곤 생각 못 했어. 어떻게 된 일이야?"

"아, 그게……."

종혁은 간단히 사정을 설명했다.

"아, 그런 거였어? 그랬다면 잘 온 거야! 러시아에서 이곳만큼 쉬기 좋은 곳도 없지!"

"하하. 세브첸코 씨는요?"

"전에 최, 네가 투자에 대해 말했잖아. 미리 자리 좀 알 아보려고 왔어."

"……아, 그 금광을 말하는 거죠?"

"맞아, 그거."

"금광?"

종혁은 움찔 놀라는 빅토르와 올가를 봤다.

"왜 그래요?"

"왠지 그 금광이 어디 있는지 알 것 같아서……."

"맞아! 그거 네 땅에 있는 거였지, 참!"

"아마 그럴 거야, 올가."

종혁은 이 엄청난 우연에 혀를 내두를 수밖에 없었다.

'그러니까 세브첸코 씨가 말한 금광이 개발된다는 고향이 빅토르의 짝사랑 상대가 있는 곳이다?'

빅토르와 세브첸코도 이 우연에 혀를 내둘렀다.

그러나 올가는 아니었다.

그녀는 왜인지 당황하고 있었다.

"그런데 아저씨, 투자 때문에 오셨다뇨? 설마 벌써…… 합!"

얼른 입을 막은 올가는 주위를 살피더니 갑자기 세 남자를 구석으로 데려갔다.

그러곤 한숨을 푹 쉬었다.

"벌써 아저씨한테까지 소식이 닿은 거예요? 하아, 진짜 시골 사람들 입 싼 건 알아줘야 한다니까."

세 남자는 미간을 찌푸렸다.

"무슨 말이야? 금광이 개발될 거란 건 소식이 터지자마자 알았는데. 그래서 공중목욕탕이나 숙박 시설 지을 자리를 알아보러 온 거야."

"……아. 그거였구나."

눈에 띄게 안심하는 모습에 셋은 더 의아했다.

"뭐야. 무슨 일이 더 있는 거야?"

"앗!"

당황한 그녀는 우물쭈물하다가 자신의 입을 쳤다.

"하아. 알았어요. 대신 아저씨만 알고 있어야 해요. 빅터는 이미 그 채굴 회사에 맡겼고, 최는…… 음. 응. 한국인이니까."

머릿속의 뭔가를 정리한 그녀가 입을 열었다.

"빅터 땅에 있는 금광을 개발할 거라는 회사가 이 마을 유지들을 모아다가 투자를 제안했어요."

"투자?"

"네. 금광을 개발할 비용을 투자하면 훗날 개발이 완료됐을 때 은행보다 많은 이자를 주겠다고."

"뭐? 진짜?"

종혁도 놀랐다.

'이거 시민 투자 공모인데?'

그렇지만 뭔가 이상하다.

종혁이 알고 있는 시민 투자 공모는 보다 많은 투자금 모집을 위해 웬만해선 공개적으로 하기 때문이다.

"잠깐. 일라이자가 투자를 제의했다고?"

'자금 사정이 나쁘단 소리인가?'

빅토르의 말에 올가가 고개를 끄덕였다.

"응. 우리 마을과 상생하고 싶다고. 그러나 너도나도 받아 줄 순 없으니까 일부만 받는다고 했어."

"아, 그런 거였나."

그렇다면 이해할 수 있다.

아니, 오히려 고맙다.

"그러면서 그때 그 장소에 있던 사람들에 한해서 각자 두 명씩만 더 끼워 줄 수 있다고 했거든. 나도 그 때문에 알게 된 거고."

'두 명?'

종혁은 고개를 모로 기울였다.

'비밀 유지를 시켜 놓고, 두 명씩 더 끌어들인다?'

갑자기 코가 간질거린다.

"올가, 실례가 안 된다면 그때 모였던 사람이 몇 명인지 물어도 될까요?"

"음, 삼십 명? 그 정도 될 거야."

"마을 사람들은 몇 명이죠?"

"한 천 명? 그쯤 될걸? 왜 이런 걸 물어보는 거야?"

"아니요. 흐음. 그래요……."

1000명 중 90명. 분명 적은 수다.

하지만 이걸 비율로 따지면 무려 9퍼센트다.

그들 모두가 하나같이 입을 다문다?

회의적일 수밖에 없다.

'너무 많은 사람이 알았어.'

비밀은 극소수만 알고 있을 때 지켜지는 거다.

더욱이 광산 개발이라는 건 하루 이틀 만에 뚝딱 끝나는 게 아니다. 최소 몇 달, 길면 몇 년.

비밀은 어떻게든 새어 나간다고 봐야 했다.

애초부터 30명조차도 많은 숫자다.

"비밀이 새어 나가면 무조건 분란이 생길 텐데……."

누군 해 주고, 누군 안 해 준다?

이곳이 도시라면 얼마든지 그럴 수 있다.

하지만 여긴 시골이다. 모두가 서로에 대해 아주 잘 아는 시골.

여차하면 투자를 받지 못한 사람들이 몰려가 항의할 수도 있다.

이런 꼴을 많이 본 종혁이기에 확신할 수 있다.

"왜 그럽니까, 최? 무슨 문제가 있는 겁니까?"

"아니요. 미안해요, 빅토르. 내가 잘못 생각했나 보네요. 그래도 혹시 모르니까 마지막으로 딱 하나만 더 물어봐도 될까요, 올가?"

"응. 뭐……."

종혁은 이것도 아니라면 그냥 신경을 끄기로 했다.

촉이 아무리 외친다고 해도.

"혹시 그 투자 액수에 상한선이 정해져 있었나요?"

"응. 한 사람당 백만 루블. 이자율은 달에 3퍼센트."

'뭐?'

"3퍼센트요? 달에?"

백만 루블, 현재 환율로 약 5백만 원.

달에 3퍼센트면 15만 원 꼴이지만, 이게 일 년이 되면 180만 원이다. 약 3년이면 이자가 원금을 넘어선다.

"그런데 처음 제의를 받은 분들은, 그러니까 우리를 소개한 그분들은 이것보다 이자율을 더 높여 준다고 하더라고. 4퍼센트?"

'여긴 또 4퍼센트라고?'

"뭐야. 그거 미쳤잖아?! 나도 투자할 수 있는 거야?"

"아까 제가 말했잖아요. 투자자는 모두 채워졌다고요. 그래서 저도 친구에게 소개시켜 주지 못해 얼마나 속상한데요. 하, 걔 진짜 어렵게 사는……."

띠리링 띠리링!

"잠시만요. 네, 얼른 들어가겠…… 아, 반코 씨! 네, 네. 네?! 정말요?"

갑자기 올가의 얼굴이 환해진다.

"그땐 아쉬워서 말했던 건데…… 아뇨, 당연히 감사하죠! 어휴. 당연히 비밀은 지켜야죠! 신의 축복이 당신과 함께하길 빌게요!"

전화를 끊고 꺄아 비명을 지르며 행복해하던 올가는 세 남자의 시선에 아차 했다.

종혁은 세브첸코의 눈치를 보며 안절부절못하는 그녀의 모습에 설마 했다.

전화를 받기 전 세브첸코와 올가의 대화가 머릿속에 떠올랐다.

"올가 씨, 혹시 방금 전화 그겁니까? 당신 친구의 사정이 딱해 보이니까 그 친구도 투자할 수 있게 해 주겠다고? 대신 억지로 끼워 넣는 거니까 친구 이자율은 낮을 거라고?"

"헉! 그, 그걸 어떻게?!"

빅토르와 세브첸코도 깜짝 놀라 종혁을 봤다.

"뭐? 진짜? 올가, 그런 전화였어?"

"아, 아뇨. 아저씨 그게……."

종혁은 진땀을 빼는 그녀를 보며 헛웃음을 터트렸다.

"뭐야. 이거 그거잖아."

희대의 사기꾼 조희구란 인물을 탄생시키며 수많은 사람들로 하여금 하지 말아야 할 선택을 하게 만든 끔찍한 사기.

'다단계 투자 사기.'

종혁의 얼굴이 딱딱하게 굳었다.

* * *

갑자기 계약일이 하루 앞당겨졌다.

빅토르의 일방적인 말에 그들은 마을에 세운 사무소를

허둥지둥 쓸고 닦으며 구슬땀을 흘렸다.

"휴우."

파리가 앉아도 미끄러질 만큼 깨끗해진 사무실.

김 대리는 지원과 직원들 중 한 명을 툭 치며 담배를 피우자는 신호를 보냈다.

"예, 그러죠. 박 사원. 같이 가."

"예! 임 사원도 가죠?"

"그럴까요?"

근처 도시에서 고용된 러시아 직원들은 옥상으로 향하는 본사 직원들을 묘한 눈으로 바라보다 할 일을 시작했다.

칙!

좁은 옥상에 선 그들은 서로에게 불을 붙여 줬다.

화창한 시베리아의 푸른 하늘이 숨을 탁 트이게 했다.

"돈 벌기가……."

지원과 직원 한 명에게 시선이 모인다.

"참 쉽네요."

현재까지 9천만 루블을 벌었다.

한화로 4억이 훌쩍 넘는 액수다.

또 백만 루블이 더 들어올 예정이다.

그걸 고작 며칠 만에.

아직 금광은 개발조차 안 했는데.

"가만 보면 사람들은 죄다 병신 같아요. 왜 이런 데 속지?"

이자율이 최대 48퍼센트다.

누가 봐도 사기다.

"그게 이 프로젝트의 묘미죠."

사업 아이템을 보여 주고 투자금을 모집한다.

상생이든 선물이든 아무 명분이나 가져다 붙여 물꼬를
튼다.

처음엔 소액이다.

고작 백만 루블. 한화로 약 5백만 원.

썩 잘 살지 못하는 러시아의 이런 시골 마을에선 큰돈
일지라도 훗날 받을 이자를 생각하면 내놓지 못할 돈은
또 아니다.

이에 대한 데이터는 이미 회사에 있다.

부담이 되지만, 또 없어도 큰 무리는 없는 액수.

처음엔 당연히 의심을 할 거다.

그러나 개발 도중에 이자를 지불하면?

너무 기다리게 하는 것 같아 죄송해 미리 지불한다고
하면?

그때도 계속 의심할 수 있을까?

그때부터가 본격적인 시작이다.

의심이 사라진 순간부터 90명의 투자자는 900명,
9000명으로 순식간에 늘어날 거다.

"우린 여기서 생기는 데이터를 모아야 합니다. 사람들
이 이자를 받지 않아도 얼마나 참을 수 있는지, 얼마를
지불하면 만족하는지, 얼마나 재투자하는지. 그리고……

내가 소개한 사람이 나보다 이자율이 낮을 때 어떤 반응을 보이는지 등 모든 걸."

이 프로젝트의 의미가 바로 이것이다.

데이터 수집.

물론 당연히 프로젝트를 성공시켜야 하지만, 그보다 중요한 게 이런 데이터를 수집하는 거다.

"크. 진짜 기조실 직원들 미쳤네요. 어떻게 이런 걸 생각하지?"

이 프로젝트는 어디에 있는지조차 모르는 본사의 기획조정실에서 내려온 거다.

"그러니 회사 최고의 브레인들만 모인 거겠죠."

고개를 끄덕인 그들은 옥상 아래를 내려다봤다.

"저 사람들은 알까요. 이 투자의 끝이 생지옥이란 걸."

"알면 투자를 했겠어요?"

그들은 눈앞에 펼쳐진 한적한 시골 마을 풍경을 보며 비릿하게 웃었다.

'병신들.'

"아, 우리 호구 동업자님께서 오셨군요."

금광을 빌려준 동업자.

물론 빅토르는 그렇게 생각 안 하겠지만 말이다.

김 대리는 파견 직원을 봤다.

"별거 없는 거 맞죠?"

"부모가 로마노프 유통이라는 마켓 체인을 운영하는 거 말고는 딱히요?"

그 이상은 아무리 조사해도 없다.

마켓 운영도 전문 경영인을 쓴다. 벌리는 돈으로 유유 자적 사는 부류의 인간들이다.

그렇게 보이도록 꾸며졌다는 걸 모르는 파견 직원은 당당히 말했다.

"빅토르 본인이 엄청난 정치인과 관계가 있지만……."

엄청난 부와 권력을 지니고 있지만, 돈의 노예는 아니다. 그들이 가장 우려하는 부류, 한 푼이라도 더 벌기 위해 이 금광에 욕심내어 끼어들 인물은 아니다.

자신들이 제어하지 못할 다른 지분이 끼어들어 판이 어그러지는 게 문제지, 그것만 아니라면 상관없다.

어차피 모든 걸 알 때쯤이면 자신들은 세상에 없을 테니까.

새로운 신분, 새로운 얼굴.

KGB, 아니, SVR이라도 찾을 수 없었다.

"좋군요. 내려갑시다."

"예."

그들은 활짝 웃으며 계단으로 향했다.

* * *

"경우가 있는 친구들이었군."

빅토르가 흐뭇하게 웃는다.

첫사랑이자 짝사랑인 올가.

지금은 다른 사람과 결혼해 아이가 있는 어린 시절의 열망.

이런 시골에 가문의 마트를 세울 만큼 좋아했다.

아직도 빅토르의 가슴엔 그 흔적이 남아 있었다.

비록 얼마 안 되는 돈이라지만, 그녀에게 이득을 나눠 준다는데 기분이 좋지 않을 수 없었다.

하지만 종혁의 반응이 신경 쓰인다.

"정말 아무런 문제가 없는 겁니까?"

"예, 아직은요."

"아직은? ……최."

"정말 아닙니다. 아직은."

'사기는 돈을 가지고 튀기 전까지는 사기가 아니야.'

이 다단계 투자 사기는 더욱 그렇다.

실제로 이득을 나눠 주니까.

'의심스럽다고 해도 통장에 돈이 찍히는데 안 믿고 버텨?'

'사람들은 왜 이딴 걸 믿지?' 하고 생각할 수 있지만, 이런 류의 사기는 그런 생각 때문에 더 당하게 된다.

설마 내가 사기를 당하겠어? 이런 방심과.

어? 돈이 들어오네? 계속 들어오네? 이렇듯 돈이 눈을 가려 버리니, 당하지 않을 방도가 없다.

그렇게 함락당한 사람들은 그때부터 사기꾼에게 돈을 던지기 시작한다.

닥치고 내 돈 받고, 이자 내놔라.

이외에도 다단계 사기와 투자 사기가 결합된 끔찍한 이 사기는 사람의 원초적인 본능을 자극하기에 한번 빠지면 벗어나기 힘든 늪이다.

이 원초적인 본능이 다단계 투자 사기의 진짜 핵심이다.

내가 소개한 애는 나보다 이자가 낮다.

내가 더 대우를 받는구나.

내가 애보다 낫구나.

어? 쟤는 나보다 이자를 더 받네?

왜지? 나도 저러고 싶다.

이런 원초적인 본능이다.

남들보다 더 잘나고 싶다는 인간의 본능.

'좋은 투자처가 있으니 소개시켜 준다?'

개소리다.

이 사기에선 개소리다.

진짜 좋은 투자처라면 남들과 공유하지 않는 게 사람 본성이다.

아닌 사람도 많지만, 대부분이 그렇다.

정말 혹시라도 사기일 수 있으니까, 무서우니까 리스크를 같이 나눠지자는 무의식에 가까운 이기심까지 합해져 이 사기가 완성된다.

"이자율이 문제인 겁니까? 물론 나도 그 부분은 의심스럽습니다."

은행보다 거의 열 배나 높은 이자다.

"하지만……."

일라이자 채굴이 금광에서 벌어들일 순수익을 생각하면 얼마 안 되는 돈이다. 현재 치솟는 금값 상승까지 포함시키면 더욱 그렇다.

그 적은 이익으로 금광과 가장 가까운 이 마을과 상생을 한다면, 그들에겐 남는 장사다.

이 마을이 온갖 편의를 봐줄 테니까.

"그걸 알아보기 위해 동행을 부탁한 겁니다. 그러니 날 조금만 더 믿어 주시겠습니까?"

"……알겠습니다."

이 말에 더 불안해지지만, 빅토르는 굳은 얼굴로 고개를 끄덕였다.

"그렇다면 지금부터 절 아이반으로 불러 주세요. 당신의 부자 친구인 고려인 아이반."

"……알겠습니다, 아이반."

"고맙습니다."

'부디 아니길 빌어야지.'

종혁은 없는 게 없던 로마노프 마켓에서 산 도수 없는 안경을 고쳐 썼다.

"안경을 쓰니 더욱 지적으로 보이는군요."

"하하."

둘은 이 마을에 세워진 일라이자 채굴 사무소로 들어갔다.

"어서 오십시오, 회장님!"

사무실 안에 있던 10명의 남녀가 그들을 반갑게 맞이한다.

"오랜만입니다. 반코 킴, 아니 킴 대리."

고려인 반코 킴.

그를 본 종혁의 눈썹이 꿈틀거렸다.

'고려인? 아닌데? 이놈 한국인인데?'

서양인들은 동양인을 잘 분간 못 하지만, 한국인인 종혁은 단번에 알아차렸다. 생김새가 딱 한국인이다. 진퉁 한국인.

'그리고…….'

흠칫!

뭔가를 발견한 종혁의 낯빛이 딱딱하게 굳었다.

섬뜩!

순간 목에 칼이 들어온 듯한 느낌에 종혁을 향해 고개를 돌렸던 김 대리는 고개를 모로 기울였다.

왜인지 냉소를 짓고 있다.

"이분은?"

"아, 내 친구 아이반입니다. 킴 대리와 같은 고려인인데, 이번에 제 별장에 함께 놀러……."

"됐으니 빨리 하고 갑시다. 여우 사냥 가르쳐 준다면서요."

"……뭐, 이래서 같이 온 겁니다."

"하하. 그러시군요…… 이쪽으로 오시죠!"

종혁과 빅토르는 사무소 안쪽의 사무실로 안내됐다.

계약서는 사전에 조율됐기에 계약서를 한번 훑어본 빅토르는 펜을 들었다.

"흠."

"뭐 해요, 빅터. 안 가요?"

움찔한 빅토르는 사인을 휘갈겼다.

갑자기 빅토르가 망설이자 조마조마했던 김 대리의 얼굴이 활짝 폈다.

"감사합니다, 회장님! 보잘것없는 저희 회사에게 채굴을 맡겨 주신 이 은혜, 채산성으로 갚아 드리겠습니다!"

"됐습니다. 제가 좋아하는 이 마을과 상생의 길을 택한 귀사를 선택하지 않을 이유는 없으니까요."

"아니, 그걸 어찌 아시고?"

김 대리는 깜짝 놀랐다.

하지만 상정한 범위 내의 질문이었다.

"별장이 근처에 있는데 이 마을의 일을 모를 리가……."

"상생?"

빅토르와 김 대리의 시선이 종혁에게로 향한다.

'흠.'

빅토르는 더 의심이 됐지만, 일단 장단을 맞춰 주기로 했다.

"여기 일라이자가 이 마을 사람들 대상으로 투자를 모집하고 후에 큰 이자를 지불한다더군요. 맞습니까?"

"오, 큰 이자. 얼마나?"

종혁은 김 대리를 보며 말했다.

"최대 48퍼센트입니다, 아이반 씨. 하지만 그건 이 지역 유지……."

종혁의 눈이 동그랗게 뜨였다.

"48퍼센트? 은행 이자 보다 몇 십 배 높잖아?"

"하하. 다 저희 직원들 때문에 힘들 이 마을을 위한…….”

"그거 나도 투자합시다. 용돈이나 좀 벌게."

"예?"

"천만 달러면 적당하지?"

"……아이반!"

"왜? 금광이라면서요. 몇 백억 루블은 그냥 벌 수 있는 거 아닙니까? 채굴권도 넘겼으면서 쩨쩨하게!"

"내 금광은 그 정도로 가치가 높지 않습니다!"

"……아, 그래요?"

실망한 종혁은 얼떨떨한 표정을 짓는 김 대리를 봤다.

"흠. 뭐 내 투자에 대해 관심 있으면 빅터에게 연락해. 내 투자를 받을지 안 받을지 모르는 사람에게 내 번호를 주긴 싫으니까. 다 끝났으면 가죠, 빅터."

"끙."

빅토르는 고개를 저으며 일어섰다.

"아, 그런데 반지가 멋지네? 어디서 산 거야?"

"부, 부모님 결혼반지입니다. 어디서 샀는지는 모릅니다."

"아, 그래? 알았어요. 수고."

슬그머니 반지를 숨기는 김 대리를 보며 피식 웃은 종혁은 몸을 돌렸다.

그렇게 사무소를 빠져나온 빅토르는 다급히 물었다.

"대체 왜 그런 겁니까?"

방금 전 종혁의 모습은 무척이나 낯설었다.

그 말에 껄렁하던 종혁의 낯빛이 싸늘하게 굳었다.

"사기일 확률이 높으니까요."

"사, 사기?"

"예. 사기."

종혁은 차창으로 비치는 사무소를 보며 이를 갈았다.

까드득!

'오랜만이다, 이 개새끼들아.'

김 대리라는 놈이 차고 있던 금반지.

종혁은 그것과 똑같이 생긴 반지를 알고 있다.

대전 어린이 사건.

그때 자살한 그놈이 찬 반지.

놈들이었다.

그 조직이었다.

살의가 머리끝까지 솟았다.

*　　*　　*

"푸흐."

사무실에 담배 연기가 뿌옇게 퍼진다.

"씨벌. 끝까지 반말이네."

이제 겨우 이십대로 보이는데.

"넌 씨발, 내가 어떻게든 털어 먹는다."

'그렇게 다 털어 먹으면⋯⋯.'

죽인다.

차갑게 웃으며 입술을 핥은 그는 핸드폰을 꺼냈다.

—예. 일라이자 채굴 영업 1과입니다.

"과장님, 저 김 대립니다."

백만 달러도 아닌 천만 달러.

아무리 전권을 받고 왔다지만, 그가 감당할 사이즈가 아니다.

일의 진도가 혹 나간 후라면 모를까 지금은 아니다.

—천만? 루블이 아니라 달러?

"예. 이 땅 주인의 친구니 신원은 확실하고, 옷차림도 싹 다 명품이었습니다. 안경은 시장표인데, 시계가 파텍입니다."

한국인으로 보이고 어디선가 본 듯한 외모였지만, 빅토르가 고려인이라고 소개했으니 믿을 수밖에 없다.

'그 호구가 뭘 알고 나를 속이겠어?'

사기 칠 장소와 아이템을 빌려준 호구, 아니 파트너.

눈치를 챘으면 경찰부터 들이닥쳤을 것이다.

"어떡할까요?"

—광산 사이즈가 얼마랬지?

"대략 60억입니다. 가라치면 4배 뻥튀기할 수 있습니다."

자신들만 아는 최신 공법이라든가, 매장량이 생각보다 더 많다든가 등 속일 수 있는 방법은 무궁무진하다.

－240억. 오케이. 시작은 깔끔하게 10억, 백만 달러로 하자.

처음부터 세게 부르면 의심을 살 수밖에 없다.

그러니 일단 꼬드긴 후 이런저런 이유를 붙여 돈을 더 뜯어내는 거다.

아니, 이자만 한두 달 지불하면 알아서 돈을 꼴아 박을 거다.

20억이든, 50억이든.

"예, 알겠습니다. 그럼 그렇게 진행하면서 데이터는 실시간으로 보내겠습니다."

－어, 그렇게 해. 김치 보내 줄까?

"웬일이십니까?"

－내가 업어 키운 새끼 2년 동안 못 본다니 서운해서 그런다.

이번 프로젝트는 최장 2년을 보고 있었다.

목표로 한 액수가 빨리 채워지면 빨리 끝날 수 있다.

－왜? 싫냐?

"너무 감사해서 그렇죠! 고추장, 된장까지 부탁드리겠습니다! 사약은 몸에 계속 지니고 있으니 따로 치지 마시고요."

－씨발놈이?

"사랑합니다!"

－꺼져. ……수고하고. 선 넘지 마라. 내가 거둔 놈, 내 손으로 은퇴시키기 싫다.

"……몸조리 잘하십시오. 술 좀 줄이시고요."

─끊는다.

끊긴 핸드폰을 테이블 위에 내려놓은 그는 다시 담배를 물었다.

"은퇴라."

회사에서 은퇴는 세상에서 은퇴다.

3년 전, 일이 어그러져 강원도 수련원에 갔다가 임원 4명만 빼고 죄다 소각당한 대전 지부처럼.

은퇴를 당하고도 죽지 않는 방법은 두 가지다.

어디 붙어 있는지도 모를 본사로 영전하든가, 아님 회사 건물을 관리하고 청소하는 잡부가 되든가.

하지만 무섭진 않았다.

그저 잠깐이라도 괴로워할 과장님이 걱정될 뿐.

"과장님이 직접 오신다면 웃으며 가겠습니다."

과장이 살려 준 목숨과 인생. 되갚는 것뿐이다.

그는 서글피 웃으며 담배를 피웠다.

그리고 이틀 후, 그는 다시 핸드폰을 들었다.

그는 활짝 웃었다.

"예, 로마노프 회장님! 저 김 대리입니다!"

* * *

종혁의 저택에 침묵이 내려앉아 있다.

"……정말 사기가 맞군요."

빅토르의 얼굴이 빨갛게 달아오른다.

"그러게 내가 뭐라고 했습니까."

놈들을 놔두고 돌아와야 하는 게 너무도 화가 나고 괴롭던 종혁이 차갑게 웃는다.

맞다. 종혁이 말한 그대로다.

채굴에 관한 신기술이건 더 많은 매장량이건 어떤 이유를 붙여서라도 투자금을 더 끌어모을 거란 말.

정말 일라이자 채굴은 그런 이유를 들먹였다.

재차 확인해 보니 매장량이 더 있고, 일라이자 채굴만의 공법으로 금을 더 뽑아낼 수 있단다.

요새 금값까지 오르고 있으니 더 투자를 받을 수 있단다.

종혁이 이 일이 사기임을 말하며 이 말을 덧붙이지 않았다면, 빅토르는 이 말을 믿어 버렸을지도 모른다.

금값이 오른다는 소리가 들리면 언제나 가장 먼저 점검해 보는 게 가문과 구성원 소유의 광산이라도.

당시 세계 최고의 기술로 조사한대도.

"아마 다른 채굴 기업을 불러 조사한대도 놈들은 당당할 겁니다. 왜? 자신들만의 기술이라고 잡아떼면 되거든요."

이 기술을 이전한다는 핑계로 다른 사기를 칠 수도 있다.

아니, 그것마저 이번 사기에 이용할 수 있다.

다단계 투자 사기에서 호재란 많을수록 좋은 것이니까.

"이 개새끼들이!"

쾅!

보드카가 담겨 있던 유리잔이 그의 손 안에서 부서진다.

빅토르는 핸드폰을 들었다.

"어디에 전화를 하려고요?"

"당연히 경찰입니다!"

"하지 않는 게 좋을 겁니다."

"……?"

"이거 사기는 맞는데, 사기가 아니니까요."

"예?"

종혁은 간단히 그들이 앞으로 할 일을 알려 줬다.

"저, 정말 이자를 지불한다고요?"

"투자자를 더 끌어모으기 위해섭니다. 은밀히, 아주 은밀하게 늘어나겠죠."

믿을 수 있는 사람을 끌어들이고, 그 사람이 또 믿을 수 있는 사람을 끌어들인다.

가족, 친척, 친구, 지인.

그리고 그렇게 끌려 들어간 사람들은 입을 다문다.

이 좋은 투자를 남에게 알려 주기 싫으니까.

즉, 세상은 이 일에 대해 절대 모른다는 거다.

"맙소사."

"그때부턴 돈이 돈을 먹는 겁니다."

뒤늦게 들어온 사람 돈으로 먼저 들어온 사람에게 이자

를 지불한다.

아랫돌을 빼내서 윗돌에 괴는 거다.

그렇게 돈은 계속 순환하며 블랙홀처럼 돈을 빨아들인다.

이 단계가 되면 광산 따윈 아무래도 상관없게 된다.

아니, 신경을 쓰는 투자자도 없어진다.

돈이 들어오니까.

그 돈에 눈이 돌아 버린 그들은 그렇게 지옥의 입구에 선다.

"신고하면 저만 망신당하겠군요."

까드득!

분명 사기에 이용당하고 있는데도 어찌할 방법이 없다.

"결국 험한 일을 하는 친구들을 불러야……."

"그거 하지 마세요."

"최?"

"저도 그걸 몰라서 하지 않는 게 아닙니다."

그러면 쉽다.

나탈리아에게 부탁하면 너무도 쉽다. 독의 존재를 알고 있으니 제압도 쉬울 거다.

하지만 놈들이 서로와 어떻게 연락하는지 모르는 이상 그건 쓰면 안 되는 방법이다. 배후를 알아낸다고 해도 그땐 꼬리를 자르고 튄 후일 테니까.

'어떻게 나타난 꼬리인데!'

살려 둬야 한다.

알아서 몸통까지 안내하게 만들어야 한다.

그러면서 복수도 할 겸 제대로 된 엿을 먹여 줘야 했다.

머릿속을 정리한 종혁은 핸드폰을 들었다.

ㅡ최?

"나탈리아. 나랑 영화 한 편 찍을래요?"

ㅡ……?

"대전에서의 그놈과 똑같이 생긴 반지를 낀 놈을 봤거
든요."

ㅡ……그거 흥미로운 이야긴데요? 내가 어떡하면 될까
요?

"그게……."

종혁이 꺼낸 말에 나탈리아와 빅토르는 눈을 동그랗게
떴다.

＊　＊　＊

지원과 직원, 파견 직원만 남은 사무실.

김 대리가 얼굴을 쓸어내린다.

나머지 직원들의 얼굴도 일그러져 있다.

"돌겠군."

마른하늘의 날벼락.

김 대리는 방금 전, 한국으로 치면 구청이나 도청 직원
이 놓고 간 서류를 봤다.

자연보호를 위한 개발 금지.

즉, 그 땅이 그린벨트로 지정됐단다.

정말 마른하늘에서 내리친 날벼락이었다.

ㅡ…….

핸드폰 속, 한국에 있는 과장도 아무런 말을 못 했다.

ㅡ우리도 철수 준비할 테니까 투자금 모두 돌려주고 복귀해. 프로젝트는 실패다.

"……예."

ㅡ인마. 사람 일인데 그럴 수 있어. 네 탓도 아니고 파견 직원 탓도 아니니까 너무 처지지 말고. 너 대리야, 대리. 이런 기회는 앞으로 많아!

"……감사합니다."

파견 직원도 감사하다 겨우 말했다.

ㅡ그래. 러시아에서 한두 번 일할 거 아니니까 괜히 푼돈 벌겠다고 허튼짓 하지 말고. 알았지?

혹여 김 대리가 투자금을 돌려주지 않을 걸 우려해 당부한 과장은 시계를 봤다.

ㅡ아, 시간이네. 끊는다.

혹시 모를 위치 추적을 막기 위해 과장은 전화를 끊었다.

김 대리는 담배를 물었다.

다른 이들도 담배를 물었다.

"푸흐."

그들 외에는 아무도 없는 사무실.

손님을 위한 좋은 냄새 따위 신경 쓰지 않아도 된다.

'대체…… 어디서부터 어그러진 거지?'

생애 첫 프로젝트라 얼마나 기대하고 노력했는지 모른다.

그런데 이딴 종이 한 장에 그 모든 수고가 물거품 되었다.

과장은 처지지 말라고 했지만, 그럴 수가 없었다.

"염병할. 진짜 지랄이네."

'빅토르? 아이반? ……아니야. 지들끼리 개발할 거였으면, 애초부터 투자금을 주지도 않았겠지.'

누군가 만약 이게 사기임을 눈치챘다면 이런 개발 금지가 아니라 러시아 경찰이 들이닥쳤을 거다.

정말 우연에 의해 이런 일이 벌어진 거다.

'아니, 대체 왜! 하필이면!'

시베리아의 많고 많은 땅 중 여기인지 모르겠다.

속으로 몸부림친 그는 결국 철수를 하기로 했다.

"후우. 일단."

모두의 시선이 김 대리에게 모인다.

"박 사원이 사람들 모아서 사정 설명해 줘요."

"예, 알겠습니다."

"그리고……."

띠리링! 띠리링!

사무실 전화가 울린다.

"씨발. 아귀 새끼들."

개발은 잘되고 있냐는, 이 마을 유지 중 한 명의 전화일 거다. 매일같이 받는 안부 전화였다.

박 사원이 수화기를 들었다.

"예, 일라이자 채굴 러시아……."

입을 다문 박 사원이 김 대리를 봤다.

"대리님."

"하아. 또 누군데요."

"아이반입니다."

"아이반?"

미간을 좁힌 김 대리는 전화를 넘겨받았다.

"예, 반코 킴 대리입니다. 투자금은 바로 돌려……."

-개발 제한 묶였다면서?

빠직!

냅다 속부터 뒤집는 말에 김 대리의 얼굴이 구겨졌다.

-그거 어떤 높은 분이 거기다 별장 지으려고 이런 짓을 한 건지는 알아?

"……별장이요?"

'그건 또 뭔 개소리야? 그리고 이 녀석은 이걸 또 어떻게 알고?'

-거기에 여우가 많거든. 그 인간 대리인이란 놈이 찾아와 그렇게 지껄이더라고.

작은 의심이 빠르게 사라졌다.

대신 다른 의문이 들었다.

-고작 그런 이유냐고 생각하지?

흠칫!

김 대리는 깜짝 놀랐다.

―놀랍게도 우리 러시아에는 고작 그런 이유로도 이런 일이 벌어져. 러시아에 온 걸 환영해, 동지들.

빠드득!

'염병할 소련!'

공산주의가 전신인 나라, 러시아.

고작 이딴 이유로 프로젝트가 엎어졌다는 것에 분통만 터질 뿐이다.

―아무튼 빅터도 곧 땅을 팔 거야.

"……저희도 이틀 내로 투자금을 돌려드리겠습니다."

―아, 그래. 투자금. 맞아. 돌려받아야지. 그런데…….

"……?"

종혁의 목소리가 낮아진다.

―채광이 돈이 좀 되잖아. 그 정도 이자를 줘도 될 만큼 벌이가 되잖아. 그치?

"예, 뭐……."

―그래서 내가 금광 하나 살 거거든?

김 대리의 눈이 번뜩였다.

'광산을 살 만큼 부자였다고?'

―알아보니까 너희만큼 기술력을 갖춘 곳도 없는 것 같고. 어때, 관심 있어?

김 대리는 빠르게 머리를 굴렸다.

생애 첫 단독 프로젝트를 이대로 끝내야 해서 얼마나

괴로웠던가. 그런데 호구가 제 발로 걸어 들어오고 있다.

"……일단 제의는 감사하지만 제 선에서 판단할 일이 아닌 것 같습니다."

―아, 그래?

흥미가 팍 식는 목소리에 김 대리는 다급해졌다.

"그래서 본사에 문의해 보고 연락을 드리려 합니다. 괜찮을까요?"

―오, 알았어! 대신 너무 기다리겐 하지 마. 내일 눈을 뜨지 않아도 이상하지 않을 어떤 영감탱이가 땅 팔아서지 애인 요트 사 주겠다고 헐값에 내놓은 거라서 얼른 사야 하거든.

"하하. 좋은 소식으로 찾아뵐 수 있도록 노력하겠습니다."

―그래, 기다릴게.

전화를 끊은 김 대리는 파견 직원을 봤다.

"이 새끼 좀 파 볼 수 있을까요?"

"아이반 말이죠? 오늘 안까지 기본적인 걸 가져오겠습니다."

"부탁드립니다. 그리고 박 사원은 예정대로 이 마을에서 철수할 준비해 주시고요."

"예!"

김 대리는 얼른 핸드폰을 들었다.

"예, 과장님. 웬 호구 한 명이 굴러 들어왔는데요!"

사무실은 다시 활기가 돌기 시작했다.

한편, 전화를 끊은 종혁은 입술을 비틀었다.

"자, 호구 입장이다. 먹을래, 말래?"

먹을 확률 99.9퍼센트.

이런 대형 사기를 치려는 놈이, 조직이 호구를 참는다?

말도 안 된다.

'아니라도 상관없고.'

그들이 여기서 접고 돌아가도 괜찮다.

둥지로 돌아갈 꼬리를 추적할 준비는 끝내 놓았으니까.

종혁의 두 눈이 흉흉히 빛났다.

* * *

─계약서 쓰시죠, 회장님!

일주일 후 걸려 온 전화에 종혁은 흐뭇하게 웃었다.

"그래. 개가 똥을 참을 순 없지."

나탈리아가 일을 제대로 해 준 것 같다.

종혁은 마시던 맥주를 내려놓으며 몸을 일으켰다.

* * *

여름의 푸른빛으로 뒤덮인 산들이 펼쳐져 있다.

여길 봐도.

저길 봐도.

시원한 바람이 불어오는 산뿐이다.

그런 산들 가운데 인구 120명의 작은 마을이 있다.

하루에 겨우 한 번 버스가 오는 조용한 시골 마을이 왜인지 시끄럽다.

쿵덕쿵덕! 땅땅!

건물들이 지어지고 있다.

코딱지만 한 작은 슈퍼 옆으로 커다란 마트가 지어진다.

그 옆으로 3층짜리 사우나가 올라간다.

작은 마을에 어울리지 않는 것들이 목조 주택들 사이에 들어찬다.

언제나 조용했던 마을을 흔드는 소란.

그러나 노인들은 젊은이들이 모두 떠나 조용해진 마을이 시끄러워지는 걸 반긴다.

그 중앙에 선 종혁은 담배를 물었다.

"наказание."

징벌.

마을 이름이 살벌하다.

"산의 정령을 화나게 하지 말라고 지은 이름이에요. 그 정령이 징벌을 내릴 거라고."

또각. 또각.

에나멜 구두를 신은 나탈리아가 다가온다.

"그들은요?"

지금쯤 종혁이 내놓은 금광을 한창 검사하고 있을 그 조직의 놈들.

"제법 진심이던데요?"

나탈리아는 헛웃음을 터트렸다.

정말 채굴에 필요한 기기들을 쓰고, 확보한 인부도 모두 베테랑들이다. 사기를 치기 위해 거짓말로 꾸며 낸 게 아니라 실제로 계약을 맺었다.

"나라도 속을 것 같아요."

거슬리는 점이라곤 이자율밖에 없다.

이자만 빼면 모든 게 정상이다.

"속지 않는 게 이상할 정도예요."

종혁은 동감이라며 고개를 끄덕였다.

'언제나 진심인 놈들이죠.'

놈들은 언제나 이랬다.

2007년에 발생하는 바이칼호 보물선 인양 사기에서도 실제 탐사를 하고, 다이버들을 고용했다.

사람들이 속을 수밖에 없는 판을 깔아 놓고, 돈을 끌어 모았다.

"정체가 뭘까요."

"나도 궁금합니다."

자기들 돈을 들고 튀었다고 대전에서 그 어린아이를 죽이려 든 놈들이다.

'단순히 사기를 치기 위해 모인 놈들이 아니야.'

김 의원 사건만 봐도 그렇다.

'목적이 돈인 건 확실한데…….'

왜 이렇게 많은 돈을 모으는지.

왜 살인까지도 서슴없이 하는지.

이 부분이 불분명했다.

"후. 정말 모르겠군요."

저들의 뒤에 있는 놈을 잡고 나서야 알게 될 터였다.

"아, 그런 땅을 팔아 줘서 고맙습니다, 나탈리아."

"뭘요. 그저 묵혀 뒀던 걸 팔 뿐인데요."

소련 패망 이후를 위해 KGB가 숨겨 둔 땅이다.

러시아엔 이런 땅이 수없이 많았다.

종혁은 단호히 고개를 저었다.

단순히 땅만 팔아 줬다면 이런 말을 안 했을 거다.

"최. 우린 대국 러시아예요. 전에도 말했듯 겨우 이 정도로 미안해하면 곤란해요."

정말 곤란하다.

이렇게 도와준다고 해도 종혁에게 진 빚 중 10퍼센트조차 갚지 못한다.

또한.

'절대 거래 관계가 되선 안 돼.'

그런 식으로 대하면 관계는 얼마 지나지 않아 단절될 거다.

진짜 친구처럼 진심으로 대해야 오래갈 수 있는 게 종혁이다.

'러시아에 더 많은 영광과 자본을 가져다줄 최이기에 진짜 친구보다 더 친구처럼, 아니, 세상 유일의 친구가 되어야 해!'

"그리고 저도 관심이 생긴 놈들이고요."

이는 진심이다.

이 지구에 자신들이 모르는 범죄 조직이 있다.

흥미가 가지 않을 수 없다.

"그러니 겨우……."

삐이익!

그녀의 빨간 입술이 높고 긴 휘파람을 뱉는다.

그러자.

"……."

마을이 언제 시끄러웠냐는 듯 조용해진다.

나무 의자에 앉아 지어지는 술집을 보며 군침을 흘리던 이고르 할아버지도, 옷 가게를 보며 박수를 치던 타냐 할머니도 모두 몸을 일으킨다.

무기질 인형처럼 표정이 사라진 그들이 나탈리아를 향해 거수경례를 한다.

이젠 은퇴해 FSB 지하 캐비닛에서나 이름을 찾아볼 수 있는 KGB의 요원들.

그리고 현직 요원들.

나탈리아는 종혁을 보며 활짝 웃었다.

"이 정도로 미안해하면 곤란하다고요."

원래 살던 주민들을 모두 이전시키며 만든 마을.

이곳은 모형 정원이었다.

종혁은 이 숨 막히는 광경에 입술을 핥았다.

"진짜 반해 버리겠네."

그녀의 마음을 모른 채 더 감동한 종혁은 진심을 다해

고개를 숙였다.

"정말 감사합니다."

······삐이익! 삐이익!

웅성웅성.

"흠흠. 이거나 다시 보세요. 정작 최가 실수하면 안 되잖아요?"

'귀엽네.'

종혁은 그녀가 내민 서류를 봤다.

거기엔 한 사람의 인생이 쓰여 있었다.

아이반 벨로프.

모스크바 빈민가에서 태어나 험하게 살아오다가 있는지도 몰랐던 조부에게 막대한 유산을 상속받은 행운아.

'졸부.'

다른 말로 호구다.

놈들에겐 군침이 돌 수밖에 없는 먹잇감이었다.

그래서······.

"놈들이 거의 도착했다고 하네요."

이곳이 모형 정원인 걸 모른 채 저렇게 기어 들어오는거다.

종혁은 달려오는 SUV들을 보며 입술이 뒤틀렸다.

부우우웅!

"안녕히 가십시오! 회장님!"

사인한 계약서를 품은 김 대리는 종혁을 향해 허리를

깊이 숙였다. 금광 개발이란 호재에 돈 냄새를 맡은 하이에나들이 몰려왔지만 상관없다.

아니, 오히려 고맙다.

이들 역시 모두 종혁 같은 호구였다.

벗겨지기 위해 기어 들어온 호구.

'너무 고마워서 눈물이 날 것 같네!'

전화위복.

개발 제한으로 프로젝트가 끝날 뻔했는데, 몇 배는 더 큰판을 짤 수 있게 됐다.

빅토르의 금광보다 다섯 배는 더 큰 규모의 금광.

이젠 김 대리 본인도 이번 프로젝트에서 얼마를 벌지 예측할 수 없었다.

'승진하는 거 아냐, 이거?'

종혁은 그런 흑심을 품는 김 대리의 어깨를 두드렸다.

"잘해. 필요한 거 있으면 말하고."

아쉽지만, 지금은 퇴장해야 할 때였다.

돌아선 종혁은 차에 올랐다.

"출발하겠습니다."

부르릉! 부우웅!

등받이에 몸을 묻은 종혁은 나탈리아가 넘겨주는 이어폰을 귀에 꼈다.

─박 사원은 이 마을에 들어온 호구들 명단 뽑고…….

한국어다.

"좋네요."

그의 입가에 비릿한 미소가 번졌다.

나탈리아도 비릿하게 웃었다.

이제 그들은 독 안에 든 쥐였다.

24시간 감시당하는.

'곧 보겠네.'

김 대리 위에 있을 몸통을.

종혁은 그때가 무척이나 기다려졌다.

*　*　*

경기도 수원의 한 건물.

지하엔 노래방.

1층엔 김밥천국.

2층엔 태권도 도장.

여느 상가 건물과 다름없는 건물의 3층, '일라이자 채굴'이라는 작은 편액이 걸린 좁은 사무실.

"어, 그래. 수고하고."

전화를 끊은 오십대 장년인이 일어선다.

"자자, 다들 주목."

한여름, 에어컨이 돌아가는데도 늘어져 있던 3명의 직원이 그를 본다.

이 작은 사무실엔 오직 그들 4명만 있다.

"러시아에 간 김 대리가 프로젝트를 시작했다."

눈을 빛낸 그들은 허리를 폈다.

"다들 우리 회사가 전면에 나선 건 이번이 처음인 거 알지?"

3명은 굳은 얼굴로 고개를 끄덕였다.

이번 시뮬레이션 프로젝트가 끝나는 순간 대한민국에 역사상 최고의 판이 깔린다. 시뮬레이션 결과에 따라 판돈의 규모가 달라지기에 어쩔 수 없이 전면에 나서게 됐다.

"회사가 들통날 위험이 다분한 상황이다 보니까 전보다 더 보안에 신경 써야 한다."

안다.

그래서 서울에 있어야 할 그들이 이 수원으로 옮긴 거다.

"윤 대리."

"전화선 새로 우회시켰습니다. 전화국을 해킹하거나 실시간 해킹이 들어오기 전까진 해커 할아버지가 와도 여기를 찾을 수 없습니다."

"역시 윤 대리야. 말 안 해도 잘해. 박 주임?"

"아이피 우회 프로그램 가동 중입니다. 상시 체크하겠습니다."

"정 사원?"

"김 대리님에게 김치 등 음식을 보낼 업체와 온라인으로 차명 계약 맺었고, 정기적으로 확인하겠습니다."

"좋아!"

평소보다 과하게 보안에 신경 쓰지만, 전면에 나선 만큼 이 정도는 해 줘야 했다.

박수를 친 과장은 이내 낯빛을 굳혔다.

"이번 프로젝트의 결과에 따라 우리 서울 3지부 영업 4팀이 얼굴을 갈아엎느냐, 아님 막대한 보너스를 받느냐가 갈릴 거야. 그런 만큼 첫째도 보안, 둘째도 보안이었으면 한다."

모두 입을 다문다.

성형.

회사에 입사한 후 꾸려 온 모든 걸 포기해야 된다는 뜻이다.

부인, 자식, 친구…… 모든 걸.

'아님 은퇴를 당하든가.'

그러나 여기서 할 말은 아니기에 꾹 누른 과장은 분위기를 환기시키고자 짓궂게 웃었다.

"다들 내년 추석 땐 안방에 어깨 펴고 들어가야지?"

"하하."

"전 별거 중인데요, 과장님!"

"그건 네가 아랫도리를 함부로 놀려서 그런 거고! 확, 씨!"

"죄송합니다!"

피식 웃은 과장은 지갑을 챙겼다.

"그럼 그렇게 하는 걸로 알고 밥 먹으러 가자! 다 먹고 살자고 하는 짓인데 밥은 먹어야지! 막내야, 오늘 점심 메뉴는 뭐냐!"

"한식으로는 할매 돼지 국밥, 중식으로는 영광루, 양식으로는 김밥천국이 있습니다!"

"에이, 씨부럴. 또 국밥, 짱개, 분식이야?"

"그럼 네가 정하시던가요. 윤 대리, 씨볼탱아."

몰려 나가는 그들의 모습은 여느 회사원과 다를 게 없었다.

*　　*　　*

시간은 빠르게 흘렀다.

어느덧 귀국할 날짜가 됐지만, 광산은 이제야 입구를 뚫은 수준.

곧 확인할 수 있을 거라 예상했던 놈들의 아지트 위치도 찾지 못했다.

통화는 업무 통화마저도 1분 미만.

이메일은 아이피 우회를 한다.

한국에 있다는 일라이자 채굴에 러시아 요원이 찾아갔지만, 이젠 놀랍지 않게도 다른 회사가 있었다.

그러나 종혁은 안달하지 않았다.

지금 당장이라도 아가리를 찢고 사지를 부숴 버린 후 멱살을 잡고 조직에 관해 다 불어라 외치고 싶은 마음이 간절하지만, 그러지 않았다.

조직이 드러날 상황이 되니 자살을 해 버린 지독한 놈들.

은밀히 쫓아야 한다.

이쪽이 쫓고 있다는 것조차, 아니, 존재한다는 것조차

모르게.

이제부턴 시간 싸움이다.

"최소 1년."

다단계 투자 사기가 무르익을 때까지 걸리는 시간임과 동시에, 러시아 정보국이 그들의 몸통과 대가리를 찾아낼 시간이다.

SVR과 FSB가 공조를 이루며 KGB로 돌아간 러시아 정보국이기에 충분히 해낼 수 있을 것이다.

이젠 기다릴 일만 남은 거다.

그렇기에 거슬리는 점이 있었다.

아무리 생각해도 그들의 이번 모습은 이질적이었다.

"언제나 뒤에 숨어서 지휘하던 놈들이 왜……."

이번엔 정면에서 움직일까.

종혁은 이게 몹시 궁금했다.

왜 희대의 사기꾼 조희구가 떠오르는지도.

"둘 다 똑같은 사기 수법이지."

공통분모다.

"흐음……."

종혁은 머릿속에 떠오른 가정을 지워 버렸다.

"아냐. 놈은 너무 드러났어."

그 조직의 스타일이 아니다.

설령 서로 연관되어 있다고 해도 지금 단정 지을 일도 아니다.

놈들에 관해서는 그 어떤 확신도 하면 안 된다.

그게 놈들을 추격한 종혁이 내린 결론이다.

"그때그때 상황에 맞춰서……."

단서가 현저히 부족한 지금으로선 이 방법이 최선이었다.

"그래도 알게 된 건 많지."

대리와 과장, 사원.

주위에 아무도 없는 상황에서 통화를 하는데도 서로를 그렇게 불렀다.

마치 진짜 회사의 회사원처럼.

새로운 걸 알게 됐다.

놈들은 점조직 형태처럼 개개인으로 움직이는 게 아니라 회사처럼 체계화된 무리를 이루고 서로 교감을 나눈다.

사사로운 대화를 나눌 만큼 친분도 있다.

즉, 놈들은 그런 형태로 한국에 녹아들어 있는 거다.

"이걸 알아차린 것만 해도 엄청난 성과지."

회귀 전이든 후든 막연히 커다랗고 뿌옇기만 했던 놈들의 윤곽이 희미하게나마 보이게 됐으니까.

이런 점들 때문에 김 대리를 두고 떠나야 하는데도 아쉽지가 않았다.

'어차피 곧 또 볼 테니까!'

종혁은 미련을 접었다.

"뭘 그렇게 심란하게 중얼거려. 놓고 온 거라도 있어?"

"아, 선배님."

한국 경찰 정복을 입은 경찰대 선배가 걱정스러운 표정을 짓고 있다. 러시아 경찰에게 뭘 어떻게 배웠는지 얼굴이 제법 다부지다.

다른 이들도.

그와 동시에 좁아졌던 시야가 확 넓어진다.

웅성웅성.

어두운 밤인데도 수많은 사람들이 오가는 모스크바 국제공항.

종혁은 이제 러시아를 떠날 준비를 하고 있었다.

고개를 저은 그는 나탈리아를 찾았다.

"늦네."

이륙 시간이 1시간밖에 남지 않았는데도 오지 않는다.

종혁은 핸드폰을 들려다가 말았다.

호랑이도 제 말 하면 온다더니, 저 멀리서 그녀가 바삐 걸어오고 있다.

또각또각또각!

"미안해요, 늦었죠?"

"아니요. 전세기인데요, 뭘. 그보다 그건 뭐예요?"

"아, 이거요? 후훗. 받아요. 당신 거예요."

"음?"

의아해하며 커다란 종이 백을 받은 종혁은 더 아리송해졌다.

LP판에 마트료시카 인형, 스노우볼, 묵주.

모두 새것이 아니라 중고다.

한 십자가 목걸이는 끝이 뜯겨져 있기도 하다.

종혁은 나탈리아를 봤다.

"어느 부끄럼쟁이들의 작별 선물이에요."

"아……."

며칠 전 피지컬 트레이닝 전수를 마치며 보드카로 작별 인사를 하기에 역시 러시아 상남자들이라고 생각했는데, 오산이었던 것 같다.

손때가 가득 묻은 걸 보니 애장품인 게 분명했다.

"……너무 부담스러운 선물을 받은 것 같네요."

고작 두 달여.

그동안 쌓인 정이 생각보다 컸다.

서로 모두.

종혁은 종이 백을 조심히 끌어안았다.

"후훗. 그럼 가실까요?"

고개를 끄덕인 종혁은 출국 게이트를 향해 발을 뗐다.

전세기다 보니 탑승은 쉬웠고, 비행기는 곧 이륙 준비를 시작했다.

기이잉!

종혁은 점점 뒤로 밀려나는 모스크바 공항의 풍경을 가만히 응시했다.

LP판, 러시아 국민 가수 고려인 빅토르 안의 노랫소리가 그의 감성을 자극했다.

그렇게 비행기가 이륙했다.

그 순간.

뻐엉! 뻥뻥!

저 멀리서 들려오는 폭죽 소리.

고개를 돌렸던 종혁은 눈을 동그랗게 떴다.

크램린궁전 근처에서 형형색색의 커다란 폭죽이 터지며 어떤 글자를 만들어 낸다.

또 봐, 최!

즐거웠어!

"……러시아엔 부끄럼쟁이가 많네요."

어젯밤 저택에서 보드카로 조용한 작별 인사를 나눈 빅토르가 분명했다.

덤덤히 앞길을 축복한다는 말만 했던 그.

"이래서 러시아를 사랑할 수밖에 없답니다."

"그러네요. 정말 반해 버리겠어요."

종혁은 미지근한 보드카를 입가로 기울였다.

그들과 함께 마셨던 보드카를.

'잠시 동안 안녕이다. 러시아.'

* * *

드디어 도착한 인천국제공항.

자다 깬 생도와 교수들이 흐느적거리며 입국 게이트를 나선다.

종혁도 뒷목을 주무르며 흐느적 걸었다.

"빌어먹을 보드카 숙취."

술맛도 지랄 맞은데, 숙취는 더 지랄 맞다.

나탈리아는 그걸 보며 쿡쿡 웃었다.

그런 그들을 향해 누군가 다가왔다.

저벅! 저벅!

"음?"

"오랜만입니다, 최 생도."

"……국정원 팀장님?"

"그리고…… 당신도 말입니다. 안젤리나 서기관."

"오랜만이에요, 팀장. 그런데 이름이?"

"하하."

종혁은 갑자기 눈싸움을 시작하는 둘을 보며 눈을 껌뻑였다.

'뭐야, 이건 또?'

4장. 형사들의 세계

형사들의 세계

"썩 반가운 마중은 아니네요."

차가운 음성이 새벽이라 조용한 인천공항을 울린다.

"정말로."

종혁은 멀리 떨어져 국정원 직원들과 굳은 얼굴로 대화를 나누는 생도들과 교수를 힐끗 봤다.

표면적인 목적은 러시아에서 뭘 했는지에 대한 간단한 조사였지만, 실제 목적은 국정원 피지컬 트레이닝 전수 제의다.

'이렇게 갑자기?'

이건 종혁이 러시아에서 뭘 했는지 새어 나간 거다.

'어떻게?'

먼저 떠난 나탈리아가 한 '잘해 봐요.'란 말이 번뜩 떠오른다.

'하아. 나탈리아.'

종혁은 마른세수를 했다.

"……죄송합니다. 마음이 앞서다 보니 그만."

맞다. 죄송해야 된다.

이로 인해 국정원과 인연이 있다는 게 생도들과 교수에게 탄로 났다. 달가운 일은 아니었다.

'이걸 어떻게 수습하나.'

"……"

팀장은 이를 악물었다.

'실책이다!'

하지만 러시아가 종혁에게 무엇을 줬는지 알게 된 이상 서두를 수밖에 없었다.

5만 평에 달하는 땅과 호화 저택.

그것을 받고도 혹하지 않을 사람은 없었다.

종혁은 그에 대한 보답으로 FSB, SVR, 스페츠나츠의 훈련 교관을 가르쳤다. 요원과 특수부대원들에게 있어 신처럼 여기는 훈련 교관을.

그러한 일을 겪었으니 종혁의 자부심과 자존심이 얼마나 높아졌을까.

그가 당장 귀화를 선택한다고 해도 이상한 일은 아니었다.

그제야 국정원 상부도 난리가 났다.

'그러니까 하루라도 빨리 서두르자니까!'

그동안 그럴 필요까지 있냐며 미적거리더니 결국 이런 상황에 이르렀다.

"정말 죄송합니다. 뭐라 할 말이 없습니다. 대신 사과의 의미로 저희가 도울 수 있는 건 적극 협력하도록 하겠습니다."

종혁의 눈빛이 순간적으로 빛났다.

뒤이어 팀장은 서류 하나를 종혁에게 내밀었다.

"일단 저희가 당장 준비할 수 있는 것들을 정리해 보았습니다."

"……!"

서류의 첫 장을 확인한 종혁은 눈을 크게 떴다.

'국정원이 경찰 예산 확대에 한 목소리를 보탠다고?'

경찰 예산 확대 지원.

러시아는 종혁 개인을 위한 보상을 준비했다면, 국정원이 준비한 보상은 그 종류를 달리했다.

'생각보다 잘 조사했는데?'

서류 안에는 최첨단 수사 기기의 기증이란 내용도 적혀 있었다.

종혁이 이를 위한 목적으로 경찰에 기부를 하고 있단 걸 파악한 거다.

"이렇게 저희가 도울 수 있는 건 적극 나서겠습니다."

톡톡.

팀장이 서류를 두드린다.

이 말은 즉 그거다.

국정원이 돈이 없어서 러시아처럼 물질적인 걸 주지 않는 게 아니다. 그보다 더 가치 있고 네게 도움이 되는 걸 주는 거다. 이런 말이다.

짠돌이 국정원다운 말이었지만.

'이 사람들 봐라?'

거래를 할 줄 안다.

"정말 적극 협조하시는 겁니까?"

"국가에 해가 되는 일만 아니라면!"

개인적인 일도 오케이라는 뜻이다.

'감당할 수 있으시려나?'

종혁은 웃음이 새어 나오려는 걸 간신히 억누르며 어쩔 수 없다는 듯 말했다.

"……후우. 이거 어쩔 수가 없네요."

"최 생도!"

"하지만 곧 개강이라 주말밖에 시간을 낼 수 없으니 이 점 양해 부탁드립니다. 대신 예습할 자료는 미리 보내 드리겠습니다."

"암요. 이렇게 응해 주시는 것만으로도 감사하죠!"

'크! 그래, 이게 애국자지!'

다행히 일이 잘 풀리게 되었지만, 그렇다고 아직 마음을 놓을 수는 없었다.

종혁의 마음을 완벽히 사로잡기 전까지는 안일하게 생각해서는 안 됐다.

'우리가 왜 국정원이라 불리는지 곧 체감하게 될 겁니다, 최 생도!'

애국자는 챙겨 줘야 하는 법이다.

팀장의 눈이 불타올랐다.

'이게 이렇게 풀리네?'

한편 종혁도 일이 잘 풀렸다며 내심 미소 지었다.

놈들을 쫓는 데 패가 하나 더 생겼다. 그것도 국정원이라는 패가.

갑자기 찾아온 탓에 짜증이 났었지만, 덕분에 더 마음 편히 국정원을 이용할 수 있게 되었다.

"그럼 다음 주말에 뵙죠."

종혁은 악수를 나누며 활짝 웃었다.

그렇게 국정원이 떠난 자리.

밖으로 향하던 생도들이 의아해하며 바라본다.

"저 태릉에 있을 때 훈련받으러 오셔서 아는 거예요. 신체 능력은 대한민국에서 국대가 최고니까."

"……아아. 와, 국정원도 태릉에서 훈련받나 보네."

"그러게."

인솔 교수도 일리 있다며 고개를 끄덕였다.

"그런데 이건 극비니까 함구를……."

"당연하지!"

가슴을 쓸어내린 종혁은 이제 막 해가 떠오르는 새벽하늘을 봤다. 가을로 접어들며 시원해진 바람이 그의 가슴을 적셨다.

* * *

러시아의 경찰 시스템을 체험하고 온 생도들은 뜨거운

감자가 됐다.

소련의 후신, 러시아.

거대한 영토만큼이나 범죄도 많아, 그 역사를 통해 배울 점은 무척이나 많았다.

당연히 관심을 받을 수밖에 없었다.

그런데 거기서 종혁은 쏙 빠지게 됐다.

"예? 잘 못 들었습니다?"

"잘 들은 거 맞아."

경찰대 학장 최기룡이 이것 좀 마셔 보라며 녹차를 내민다.

종혁은 그걸로 놀란 가슴을 달랬다.

"영화 촬영에 자문을 하라는 말입니까?"

심지어 아는 영화다.

그것도 잘 아는 사건을 바탕으로 만든.

"그 사건, 최 생도 네가 다 해결했잖아."

최기룡이 자문을 제안한 영화는 다름 아닌, 종혁이 얼마 전 해결한 4인조 망치 뻑치기 사건을 바탕으로 하여 제작하는 영화였다.

"경찰 이미지 향상을 위해 도움이 필요하다는데, 도와줘야 하지 않겠냐?"

"아니, 제가 아니더라도 중부서, 남대문서 형사님들도 계시는데 왜……."

"걔들도 협조하기로 했어."

"음."

'귀찮은데.'

이젠 주말마다 국정원에 가야 한다. 앞으로 쉬는 날이 없는 거다.

"최 생도, 아니 우리 경주 최씨 충렬공파를 빛내는 종혁아."

"……예."

"강의 듣기 싫지?"

"……?"

"현장 실습 후 바로 소련, 아니 러시아에 실무 실습도 다녀왔겠다. 마음 떴잖아? 안 그래?"

"……!"

종혁의 자세가 달라졌다.

최기룡은 씩 웃었다.

"시험만 보면 올 A, 할래?"

"학장님!"

종혁은 낯빛을 딱딱하게 굳혔다.

"태어나면서부터 하고 싶었습니다!"

그렇게 종혁은 영화 촬영의 자문을 맡게 됐다.

＊ ＊ ＊

며칠 후, 중부서 앞.

덩치가 후덕한 오십대 장년인을 비롯한 여러 사내가 거리를 멍하니 바라봤다.

그중 선글라스를 낀 이십대 초반의 사내는 그런 장년인을 보며 발을 동동 구르다 힘겹게 입을 열었다.

"버, 벌써 가을이네요, 감독님."

노랗게 물든 거리의 은행나무가 고약한 똥 냄새를 풍기며 가을이 왔음을 알린다.

"어? 어, 맞네. 가을이네…… 아, 동현아."

"예?"

"네가 그러지 않을 건 알지만, 혹시 해서 당부하는 건데 형사들에게 함부로 하지 마라."

"마, 말이나 제대로 할 수 있으면 다행인데요……."

"……하긴."

내성적인 게 이루 말할 수 없는 양동현이다.

이러면서도 연기는 또 기가 막히니.

사고가 터지면 양동현보다 김영진 본인이 범인일 확률이 높았다.

"너희도 마찬가지야. 안 할 건 알지만 하지 말자."

"예!"

김영진은 만족스럽다는 듯 고개를 끄덕였다.

"그런데 경찰대에서 보낸다는 친구는 왜 이렇게 안 오는 거야? 버스가 늦나?"

경찰대 위치가 용인이라니 그럴 확률이 높았다. 그 산골에서 오려면 보통 힘든 게 아닐 터였다.

"차라리 내가 데리러 갈 걸 그랬……."

과르릉!

김영진은 남대문서 입구에 서는 까만 스포츠카를 보며 혀를 찼다. 하지만 그 눈엔 부러움이 차올랐다.

그건 양동현과 다른 배우들도 마찬가지다.

남자의 로망. 남자라면 미칠 수밖에 없는 차다.

'캬. 나도 죽기 전에 저런 차를…… 뭐야, 여기서 왜 내려?'

주차장도 아니고 경찰서 입구다.

차에서 내린 덩치 큰 미남이 이쪽을 향해 손을 든다.

"여, 박 이경! 더운 날 개고생하느라 수고한다!"

"어? 형님! 어쩐 일이십니까? 그리고 저 이경 아니고 상경이지 말입니다."

"오, 이제 반 했네? 언제 제대할래?"

"……에이씨."

키득키득 웃던 종혁은 이쪽을 멍하니 보는 남자들의 시선에 고개를 모로 기울였다가 깜짝 놀랐다.

"혹시 김영진 감독님?"

"……누구신지?"

'아이쿠야!'

첫인상을 좋게 남기고 싶었는데 꽤 웃긴 꼴이 보였다.

"아이고. 기다리시게 해서 죄송합니다. 경찰대 간부후보생도 최종혁입니다."

"……?!"

김영진과 양동현은 눈을 동그랗게 뜨며 종혁과 스포츠카를 번갈아 봤다.

“씨발! 말로 하니까 안 듣지? 어?”
“아, 변호사 불러오라고!”
언제나처럼 오늘도 도떼기시장이 열린 강력반.
어떤 형사는 떡 진 양말 냄새에 코를 막고, 어떤 형사는 젖은 머리를 털며 자리에 앉는다.
시끄럽고 어수선하다.
하지만 정겨운 풍경이다.
강력 3반으로 향한 종혁은 수갑을 찬 채 목소리를 높이는 한 범죄자의 뒤통수를 후려갈겼다.
빠아악! 쾅!
“어? 어어?”
갑작스런 상황에 얼었다가 종혁을 발견한 강력 3반 형사들이 눈을 동그랗게 떴다.
“아, 죄송합니다. 저도 모르게 그만.”
어쩔 수 없는 습관이다.
강력 3반 형사들은 피식 웃었다.
“그래, 종혁아. 어쩐 일이야?”
“아, 이번에 영화 촬영하는 거 있잖습니까. 그거 저도 자문하기로 했습니다.”
“뭐? 진짜? ……하긴 네가 제일 잘 알긴 하지. 그런데 뒤에 분들은 일행이셔? 젊은 분은 어디서 뵌 듯한데…….”
“이번 영화의 감독님과 배우님들이세요.”
“……이런 씨?!”
기겁한 반장이 튀어나오며, 방금 전 종혁의 행동에 재

차 멍해진 그들과 인사를 나눴다.

그 후 그들은 회의실로 안내됐다.

"죄송합니다. 저놈 때문에 초면부터 못난 모습을 보였습니다."

종혁은 재빨리 시선을 돌렸다.

"아, 아닙니다."

당황을 겨우 수습한 김영진 감독은 단호히 고개를 저었다.

이번 영화는 리얼한 형사의 모습이 포인트다.

어떻게 사건을 인식하고, 피해자에게 어떤 마음을 가지는지. 그리고 평소 범인은 어떻게 잡는지.

이런 꾸미지 않는 날것의 모습이 필요했다.

"……아, 그러세요?"

"예. 그러니 꾸밈없이 보여 주시면 감사하겠습니다."

"음. 보기가 좀 거북하실 수 있을 텐데……."

"괜찮습니다."

"예, 뭐 그러시죠."

"감사합니다! 그럼 평소 어떻게 지내시는지 여쭤도 될까요?"

배우들도 모두 수첩을 꺼내든다.

"평소라……."

'내가 평소에 뭘 하고 지내더라?'

범인 잡아다 조서 꾸미는 걸 빼니 딱히 떠오르는 게 없다.

"경찰이라고……."

모두의 시선이 종혁에게로 모인다.

"경찰이라고 특별한 건 없습니다. 업무 보다가 밥 먹고, 커피 마시고, 담배 피우고. 때가 들쭉날쭉한 것을 제외하면 회사원과 다를 거 없습니다."

따악!

반장이 손가락을 튕겼다.

"그래, 맞네. 딱 네 말이 맞네. 우리가 밥을 제때 못 먹긴 해."

모두 범인을 쫓고 조서 쓰느라 바쁘기 때문이다.

"강력반에선 제때 밥을 먹으려 드는 게 양심 없는 거죠."

"키야! 종두 형님이 잘 가르쳤네! 또?"

"정시에 퇴근할 땐 가족과 보내거나 운동하죠. 범인 쫓으려면 체력을 길러야 하니까."

"옳지! 또?"

"그리고 복장은 최대한 질기고 가볍게. 신발은 깃털처럼 가벼운 걸로. 반장이라고 구두 신는다?"

"미친 짓이지!"

다만 언제 높은 사람과 만날지 모르기에 실내에선 구두를 신거나 언제든 신을 수 있게 비치해 놓는다.

사람들은 종혁과 반장의 만담 같은 대화를 넋 놓고 봤다.

종혁은 그런 그들, 아니 감독을 보며 입술을 비틀었다.

옛날 두 명의 경찰을 다룬 영화가 흥행을 한 이후 경찰 이미지가 박살이 났단 소리를 들었다.

해피 엔딩, 정의로운 엔딩으로 끝났지만, 경찰엔 비리가 많다는 이미지가 생겼다.

비리 경찰이 영화의 단골 소재로 다뤄지게 됐다.

이번에 이들이 찍을 영화는 그렇지 않지만, 당시 현직 형사로서 저건 아닌데라고 몇 번이나 중얼거렸는지 몰랐다.

이런 영화 하나하나가 경찰의 이미지에 막대한 영향을 끼치는 만큼 허투루 임할 수 없었다.

'내가 왜 그 지랄 염병을 했는데!'

모두 보다 나은 경찰을 위해서다.

종혁의 눈에 불길이 솟았다.

"와."

김영진 감독은 혀를 내둘렀다.

다른 배우들도 마찬가지다.

"이거 고쳐야 할 부분이 많은데?"

그는 그렇게 말했지만 아쉽지 않았다.

이런 디테일이 모이고 모여 영화에 재미를 주기에 감독된 입장으로서 고칠 수밖에 없었다.

배우들도 도움이 많이 됐다.

형사라면 마냥 이러겠거니 하며 넘겨짚었던, 대충 생각했던 디테일. 옆에서 관찰해도 캐치할 수 있을까 싶었던 디테일한 포인트를 자세하게 설명해 줬다.

몇 날 며칠 경찰서에 출근하며 그 포인트를 캐치하려고 했던 배우들로선 종혁이 고마울 수밖에 없었다.

"휴, 덕분에 시간이 많이 단축될 것 같습니다."

"하하. 아닙니다."

"그런데……."

반장은 고개를 모로 기울였다.

"정말 염치없는 요구지만, 혹시 안마방 인터뷰를 도와주실 수 있겠습니까?"

"안마방이요?"

"이번 영화에서 굉장히 중요한 부분이라……."

감독은 굉장히 조심스러웠다.

정말 중요한 부분이라 안마방과 접촉을 해 보려 수없이 노력했는데, 여태까지 응한 곳이 한 곳도 없었기 때문이다.

얼마 전 미성년자 집중 단속으로 인해 문을 닫은 곳도 많고, 닫지 않아도 연락을 받지 않는 경우가 허다했다.

어쩔 수 없이 그 부분은 창작의 영역에 맡기려 했으나, 이렇게 형사를 디테일하게 표현할 수 있게 되고 나니 포기하기가 어려웠다.

"어이구! 이걸 어쩌나."

반장은 입맛을 다셨다.

"저도 협조하고 싶지만, 현재 저희 관할에서 영업 중인 안마방은 한 곳도 없습니다. 정확히는 죄다 문 닫았습니다."

안마방, 마사지숍, 노래방, 유흥주점.

싹 다 영업 중지 상태다.

"여, 여기도요?! 명동은요? 명동은……."

한때 불야성이라 불렸던 명동.

"거기도 비슷한 사정이라서. 그리고 저희 관할이 아니고."

"……하아."

혹시나 하는 기대를 품었던 감독은 울상을 지을 수밖에 없었다.

그 순간.

"음. 그건 제가 해결할 수 있을 듯한데요."

"……?!"

종혁은 눈을 동그랗게 뜨는 그를 보며 핸드폰을 꺼냈다.

"납니다. 아는 안마방 있죠? 아니, 씨발 내가 가겠다는 게 아니라. 예, 그 사장 좀 봅시다. 최대한 빨리. 예. 고마워요."

전화를 끊은 종혁은 활짝 웃었다.

"됐습니다."

"……종혁아, 너 어디다 전화 건거냐?"

"명동파요."

"응?"

"풀문나이트 연예인 마약 사건 때 하마터면 업장 닫을 뻔했다고, 고맙다며 도울 일 있으면 돕겠다고 하더라고요."

"명동파가? ……걔들 요새 약 한다니?"

"글쎄요?"

반장은 가만히 바라보다 핸드폰을 꺼냈다.

"어, 난데. 명동파 센타 좀 까 봐. 이 새끼들 요새 약 빠는 거 같아."

명동파가 한 번 더 몸살을 앓게 됐다.

* * *

일단 시간이 걸릴 것 같기에 식사부터 했다.

형사들은 중부서로 복귀했고, 종혁과 김영진 감독, 주연 배우 둘만 근처의 카페로 향했다.

협조하는 명동파를 배려한 거다.

곧 그들 빼곤 손님 한 명 없는 카페에 두 사람이 들어왔다.

한 명은 성매매 알선 혐의로 집행유예를 받고 풀려난 풀문나이트를 관리하던 박 전무였고, 다른 한 명은…….

'어? 저놈은?'

놀랍게도 아는 얼굴이었다.

'종배수?'

삑치기, 아니 아리랑치기 전문인데 90년대 초 아리랑치기 조직을 크게 결성했다가 경찰과 조폭에게 박살이 난 전과 15범 범죄자다.

당시 조직원 수만 무려 55명. 압구정을 비롯한 강남 전체가 놈의 구역이었다.

경찰에겐 요주의 감시 인물이었다.

'이 새끼가 명동파 소속이었어? 거기다 안마방 사장?'

꽤나 규모가 큰 조직을 구성했다지만 그래 봤자 아리랑 치기, 잡범에 불과했다.

당시 본청 광역수사대였던 종혁이 그와 얽힐 일이 없었기에 이런 속사정까지는 몰랐다.

머리를 빠글빠글 볶은 사십대 키 작은 종배수가 뚜벅뚜벅 걸어와 종혁의 맞은편에 털썩 앉았다.

그러며 다리를 꽜다.

"안녕하…… 흡?!"

인사를 하던 박 전무가 경악했다.

뽀글머리는 선글라스를 벗으며 콧대를 세웠다.

"뭡니까? 왜 날 보자고 한 겁니까?"

"……허허."

종혁은 박 전무를 봤다.

"박 전무, 말 안 했어요?"

"그, 그게……."

차갑게 가라앉은 종혁의 목소리에 박 전무가 당황하던 그때, 종배수가 미간을 모으며 입을 열었다.

"허어. 야, 꼬맹이."

"꼬맹이?"

"어린놈의 새끼가 어디 빽만 믿고 말이야, 어? 이 형님……."

박 전무는 입을 떡 벌렸다.

'이 미친놈아-!'

종혁의 입가에 미소가 걸렸다.

"으응. 그래, 무슨 상황인지 대충 알겠네."

종혁은 박 전무를 바라봤다.

"참 눈치 없고 충성스런 부하를 두셨네요, 박 전무?"

"저, 저희 명동파는 아니고……."

명동파 그늘에 기대는 조직 중 하나다.

안마방, 당구장 등 소소한 업장을 운영하는 피라미 조
직.

"그런 것까진 알 필요 없는데."

"……자, 잠시만 기다려 주십시오!"

박 전무는 종배수의 머리를 움켜쥐었다.

"악!"

"따라와, 이 아름다운 새끼야!"

박 전무는 울상이 되었다.

"악! 형님! 잠시만요, 형님!"

종배수는 그렇게 화장실로 끌려갔다.

"괜찮아요, 감독님. 놀라지 않으셔도 돼요."

"어, 그래도……."

김영진 감독과 두 배우는 겁에 질렸다.

"정말 괜찮다니까요. 다 자기들끼리만 저러지 일반인
에겐 함부로 못해요."

"……?"

"어디 조폭, 범죄자 나부랭이 새끼가 일반인한테. 뒤지
려고."

세 명의 눈이 동그래졌다.

"허허. 새, 생도인데도 와일드하시네요."

'아차.'

종혁은 그냥 밀고 나가기로 했다.

"뭘요. 저도 강력계를 지망하는데 이 정도는 기본이죠. 형사가 범죄자한테 겁먹으면 일 못합니다."

"기본…… 말입니까?"

주연 배우 둘도 눈을 빛냈다.

어찌 됐던 그들이 맡을 역할은 형사였다.

그중 양동현은 경찰대 출신 젊은 형사 역할이었다. 그는 종혁을 빤히 바라봤다.

'이런 모습이 형사?'

'아까 헤어질 때 반장이 저놈은 딱 형사 체질이라더니…….'

종혁은 생각에 잠기는 그들을 보며 고개를 끄덕였다.

'암. 형사가 저런 놈들 따위에게 겁먹어선 안 되지.'

그리고 잠시 후 후다닥 달려온 종배수가 허리를 넙죽 숙였다.

"헤헤헤. 안녕하십니까, 생도님! 아리랑치기계의 워리어! GOU! 종배수가 인사 올립니다!"

GOU는 준형과 그의 동료 멤버들로 구성되어 있는 그룹의 이름이다.

'……그냥 미친놈인가?'

인터뷰는 원활하게 진행됐다.

"이 서울 바닥에서 내가 전화 한 통 쫙 돌리면! 예?"

"안마방 에이스는 어떻게 뽑아요?"

"이거. 이거 잘하는 애들이 최고죠. 어차피 술 만땅 꼴아 오는데 얼굴이 중요할까요. 뭐, 요샌 톰 뽀이도 쓰는 곳이 있다던데……."

"톰 보이? 트, 트랜스젠더요?!"

"품!"

─평양에서 열린 북한 일본 정상회담에서…….

시끄러운 종배수를 제외하면 조용한 카페.

라디오에서 뉴스가 흘러나온다.

종혁은 빨대를 물며 귀를 기울였다.

'거참 이럴 때 스마트폰이 있다면 너튜브라도 볼 텐데.'

스마트폰은커녕 너튜브가 서비스를 시작하기까지도 한참 멀었기에 종혁은 아쉬움을 달랬다.

─무소속 현몽준 의원이 대선 출마를…….

'아, 벌써 이때인가?'

뜬금없이 정치를 하겠다며 1988년에 정치판에 뛰어든 고(故) 현주영 왕 회장의 6남 현몽준.

'맞아. 이땐 이 사람 인기가 대단했지.'

재벌 출신이라 뇌물 같은 비리가 없을 거라며 기대한 국민이 많았다.

또 축구협회장이기도 한 현몽준.

얼마 전 성황리에 끝난 2002년 월드컵 덕분에 현재 다른 유력한 대선 후보 둘보다 더 큰 인기를 구가하고 있었다.

'뭐, 그것도 가을 들어 월드컵 약발이 떨어지면서 추월 당하지만.'

종혁은 담배를 챙겨 들며 일어섰다.

"담배는 여기서 피우셔도……."

따라 일어서는 박 전무에게 손을 저은 종혁은 카페를 나섰다.

치익!

"후우우."

—네, 권아영입니다.

"접니다."

—보스! 어쩐 일이세요?

"다름이 아니라 뉴스에서 현몽준 의원이 대선 출마를 선언했다는데, 그 사람도 돈 맡겼습니까?"

—안 그래도 이번 대선 문제 때문에 내부에서 말이 많았는데…… 아빠, 아니 권 이사장님이 대통령 될 깜냥은 아니니 괜히 더 챙겨 주지 말라고 하시더라고요. 저도 같은 생각이고요.

"그래요?"

—태생이 사업가인데 어떻게 믿어요. 거기다 왕 회장님께서 타계하시면서 비를 막아 주던 우산도 사라졌는데.

'다행이네.'

권아영과 권회수가 밥값을 해 줬다.

—그런데 이건 왜 물어보세요?

"저도 같은 생각이어서요."

-후후. 역시 보스네요.

종혁이라면 같은 생각인 줄 알았다.

그런데 이런 이유만으로 전화를 했으리라고는 생각되지 않았다. 종혁은 언제나 겉으로 드러난 말 속에 다른 뜻을 숨기는 인물이었으니까.

잠시 생각에 잠겼던 권아영은 손가락을 튕겼다.

-아, 혹시 에이버와 넥스트 보고 부화뇌동하지 말라고 연락하신 건가요?

대선 주자에게 가장 필요한 게 뭘까.

바로 여론이다.

-맞죠?

"네, 맞습니다."

종혁은 흐뭇한 미소를 지으며 고개를 끄덕였다.

한국에 닷컴 버블이 일어날 당시 주가 조작, 소위 작전의 대상이었던 넥스트.

종혁과 강철선이 그 일당을 검거하면서 그들이 소유했던 넥스트의 주식, 돌려지던 폭탄이 터져 버렸는데 이미 추격하고 있던 박태규가 그걸 받아 내면서 단숨에 넥스트 최대 주주가 되었다.

에이버도 이와 비슷한 과정을 거쳐 최대 주주가 되었다.

에이버와 넥스트는 새천년 들어 뉴스 서비스를 시작하면서 한국의 양대 포털 사이트로서의 면모를 갖추었는데, 지금이야 중립적이지만 미래엔 그 모습이 변한다.

정치 성향에 따라 뉴스 노출도를 조절해 버리는 거다.

'이번에도 그 꼴을 볼 수는 없지.'

정보를 전하는 곳은 언제나 중립을 지켜야 한다는 게 종혁의 생각이었다.

"괜히 대선 이런 거에 끼어드는……."

딸랑!

"아니, 가수가 무슨 연기를 할 줄 안다고……."

일그러진 얼굴로 카페 문을 열고 나오다 놀란 김영진 감독이 멀찍이 떨어진다.

─보스?

"다시 전화하겠습니다."

"아니, 가수들 죄다 끌어다 그딴 영화 만들어 놓고도 또 가수를 들이민다고요? 투자자면 답니까? 예?! 그럼 빼든지!"

화가 많이 난 건지 멀리 떨어져 있어도 다 들린다.

'투자 문제인가?'

대충 예상이 간다.

투자를 한 투자자가 스폰하는 배우를 꽂아 넣는 일.

저쪽 바닥에선 흔한 일이었다.

"내가 예술 하는 사람은 아니지만, 이딴 식으로 내 영화 망치는 꼴은 볼 수 없습니다! 끊어요!"

전화를 끊고도 씩씩거리던 김영진 감독은 돌아서다 종혁을 발견하곤 혀를 찼다.

그가 다가오자 종혁은 얼른 담배를 껐다.

"이거 못난 꼴을 보여 드린 것 같습니다."

"혹시 협박입니까?"

"아, 그게……."

잠시 갈등했던 김영진 감독은 고개를 저었다.

"방금 전 통화는 못 들은 걸로 해 주십시오. 부탁드리 겠습니다. 그럼."

종혁은 눈을 가늘게 뜨며 카페 안으로 들어가는 김영진 감독을 응시했다.

갈등과 짜증.

그의 얼굴이 표현하던 감정엔 공포도 미약하게 서려 있었다.

종혁은 코를 긁었다. 갑자기 시궁창 냄새가 나고 있었 다.

그는 다시 핸드폰을 들었다.

-예. JC엔터테인먼트 대표 정영탁입니다.

GOU의 소속사, JC.

JC는 JYK의 최대 주주이기도 하다.

"접니다. 최종혁."

-최 자문님? 어이고, 이게 얼마 만입니까!

"예, 잘 계셨죠?"

그렇게 그동안의 안부를 묻던 종혁은 본론을 꺼냈다.

"제가 이렇게 전화를 드린 건 다름이 아니라 영화계, 가요계 통과 미팅을 하고 싶어섭니다. 가능하겠습니까?"

-……예?

* * *

"이야. 그런 술 드시는 모습이 너무 자연스러운데요? 이런 곳에 자주 오셨나 봅니다."

강남 모처의 어느 BAR.

호박빛 위스키를 기울이던 종혁은 정영탁이 다가오자 눈을 끔뻑였다.

그의 뒤를 봤지만 일행은 없었다.

"……?"

"흐흐. 그 통이 접니다. 가요계, 영화계 통! 드라마도 쫙 알고 있죠!"

통. 소식통.

마당발, 빠끔이와 같은 말이다.

"……아."

'맞네.'

종혁은 머리를 긁었다.

JC엔터테인먼트는 가수와 배우를 함께 키우는 기획사다. 그쪽 바닥들 소식은 다 그의 귀에 들어간다고 봐야 했다.

'이 양반도 이제 공룡인데 너무 무시했어.'

JYK의 최대 주주가 된 이후 JC엔터는 3대 기획사라도 무시하지 못할 곳이 되었다. 이후 인성 좋은 연예인이라면 계약금 따지지 않고 영입하며 몸집을 키웠다.

"이거, 대표님이 오실 줄 알았으면 약속 장소를 더 편한 자리로 잡을 걸 그랬습니다."

정영탁이 가장 좋아하는 건 파전에 막걸리였다.

"드디어 최 자문님과 술을 마시게 됐는데 어디든 좋지 않을까요."

처음 종혁이 미성년자라는 걸 알았을 때 얼마나 놀랐는지 모른다.

"제가 이날을 얼마나 기다렸는지 모르실 겁니다."

부리부리하게 뜬 눈에 진심만 가득하다.

종혁은 피식 웃었다.

"건배할까요?"

"좋죠!"

챙!

둘의 잔이 허공에 부딪쳤다.

"크. 역시 양주는 저랑 안 맞는군요. 얼른 마시고 일어나시죠. 제가 기가 막힌 막걸리집을 압니다."

자리 옮기기 전에 이야기를 끝내자는 뜻이었다.

고개를 끄덕인 종혁은 사정을 설명했다.

"아, 그거……."

"아는 게 있으시군요."

낯빛이 살짝 어두워진 정영탁 대표가 고개를 끄덕였다.

"혹시 두 달 전에 개봉한 긴급조치 20호라는 영화 보셨습니까?"

"긴급조치…… 예?"

"98년에 개봉한 에이틴라는 영화는요?"

"……?"

"다 가수들이 주연인 영화입니다. 긴급조치 20호는 아예 무더기로 출연했죠. 연기라곤 발성도 못하는 가수들이."

종혁의 미간이 좁혀졌다.

머릿속이 간지러운 게 뭔가 떠오를 것 같았다.

"뭔가가 있군요."

"세력이 있습니다."

"세력? 아……!"

종혁은 그제야 겨우 떠올릴 수 있었다.

회귀 전, 이 당시 연예계에서 한 사건이 터졌다.

순경이었던 이 당시엔 위의 3분의 2를 드러내며 병원에서 골골거리던 시기라서 잘은 모르는 사건이지만, 대충 비리에 관련된 사건이었던 걸로 기억한다.

"MP3 등 디지털음악 시장이 성장하며 기존 음반 시장이 침체기에 접어들자 본격적으로 야욕을 드러낸 작자들인데……."

원래부터 콧방귀 좀 뀌던 이들이라 가요계에서 무시할 수 있는 사람이 없다.

정영탁도 GOU가 성공하지 않고, 종혁의 무한적인 자금 지원에 JYK의 최대 주주가 되지 않았다면 이들에게 휘둘렸을 것이다.

"그런 놈들이 있다고요?"

"밉보여서 좋은 거 없는 망나니들이죠. 음악 방송조차 출연 못하니까요."

종혁의 표정이 딱딱하게 굳었다.

밉보여서 좋을 게 없다. 이 단어가 품은 뜻을 알아차렸기 때문이다.

"스폰, 뇌물, 뭐 그런 거군요."

"……아무튼 이놈들이 영화나 드라마 등에 공격적으로 투자를 하며 영역을 넓히고 있는데, 그쪽 바닥에서 반기겠습니까?"

말을 돌린다. 정답이란 소리다.

연예계에서 악마라 불리는 스폰서. 선한 스폰서도 있지만, 악한 이들이 훨씬 많다.

'그런 개새끼들이 세력을 이뤘다고?'

몰랐다면 모르되 알게 된 이상 절대 가만 둘 수 없다.

종혁은 계속 설명하는 정영탁의 입을 막으며 핸드폰을 들었다.

음악 방송 출연도 좌지우지 한다는 놈들이다.

선이 어디까지 닿아 있을지 가늠할 수가 없다.

'멤버부터 세팅해야겠네, 정예로.'

그렇게 마음을 굳힌 순간이었다.

지이잉! 지이잉!

'아버님?'

유료발신자표시서비스로 강철선의 이름이 뜬다.

"예, 아버님. 안 그래도 전화 드리려 했는데……."

―아, 글나? 그럼 나부터 말할게.

평소라면 안부부터 물었을 강철선이 답지않게 본론부터 꺼내려 든다.

심상치 않은 일인 것 같아 종혁은 표정을 굳혔다.

"예. 무슨 일이세요?"

―종혁이 니 GOU 갸들이랑 친하제?

"당연히 친하죠. 왜요? 무슨 일 있어요?"

―그럼 혹시 거기 대표도 잘 아나?

종혁의 눈썹이 꿈틀거렸다.

"혹시 가요계에 있다는 어떤 세력 때문입니까?"

―……니 지금 어데고?

강철선의 목소리가 차갑게 가라앉았다.

* * *

숨이 막힌다.

심장이 내려앉고, 누군가 목을 조르는 것 같다.

언젠간 꼭 돈 모아서 올 거라 다짐했던 고급 호텔.

문을 열고 들어가면 꿈에서나 그리던 풍경이 반겨 줄 거라 기대해야 되는데, 1404호 문이 닫혀 있는 악마의 아가리를 보는 듯 두렵다.

살을 스치는 몇 십만 원 이브닝드레스 실크 감촉이 마치 도마뱀이 혀로 핥는 것처럼 끔찍하다.

그녀는 양손을 꽉 쥐며 사장을 바라봤다.

몇 번이고 물은 물음.

그리고 이제 마지막 묻는 물음.

"아, 안 하면 안 되죠? 정말…… 안 하면 안 되죠?"

사장은 눈을 질끈 감았다가 떴다.

그는 억지로 입술을 비틀었다. 차라리 자신을 원망하고 증오하길 바라며.

그래서라도 성공할 수 있다면 얼마든지 그 원망 증오 모두 감내할 수 있다. 지금처럼 무명으로 살다 사라지면 그조차도 못할 테니까.

"왜 이래? 성공 안 할 거야? 언제까지 이렇게 찌질하게 살래? 어? 같은 시기에 데뷔한 다른 애들은 다 TV에 나오고 팬들한테 둘러싸이는데 언제까지!"

"하지만 이건 아니잖아요! 그, 그냥 지금처럼……."

행사 공연 가고, 거리 공연을 하면 된다. 홍대 작은 무대도 괜찮다.

그러면 언젠가…….

"이걸 거부하면 그것도 못해! 알잖아!"

"……."

"눈 한번만 딱 감으면 돼. 딱 한 번만."

'흡!'

검지를 들며 애원하는 사장의 얼굴이 괴물 같다.

몸에 닿는 사장의 손길에 구역질이 치솟는다.

언제나 아빠의 응원처럼 따뜻했던 손인데, 귀여운 표정

인데 악몽에서나 등장하는 괴물의 그것처럼 느껴진다.

그러나 뿌리칠 수 없다. 어깨를 잡은 손이 때릴 것 같아서.

그녀가 알던 사장은 이제 없어서 무서웠다.

"더 할 말 없지? 문 연다."

사장은 떨리는 손으로 손잡이를 잡았다.

끼기긱!

손잡이 부품이 맞물려 돌아가는 소리에 구역질이 나온다.

어쩌다 이렇게 됐을까.

성공시켜 달라고 찾아와 드러눕던 당찬 16살 소녀.

그 모습에 반해 성공시켜 줄게 외친 36살 초보 사장.

서로에게 길었던 5년 무명의 궁핍은 결국 힘들었어도 웃음이 가득한 순수했던 추억을 검게 물들였다.

이젠 그 미소가 생각나지 않았다.

그는 문을 열며 허리를 깊이 숙였다. 일그러진 얼굴을 보이지 않고자.

스륵.

옷자락이 스치는 소리가 얼음송곳이 되어 귓속을 파고들었다.

"어, 그래. 양동현이 영화 있잖아. 그거 배역 하나만 준비해 줘."

양동현.

이 바닥에서 그 이름 석 자를 모르는 연예인이 있을까.

"뭐해, 안 들어오고? 네 얘기잖아."

알몸에 가운만 걸친 악마가 다리를 벌린다.

어서 이 안으로 기어 들어오라는 듯 손짓한다.

무섭고 두렵다.

반사적으로 뒤를 본 그녀는 깨달았다.

사극 드라마 속 간신배처럼 등을 보이고 있는 사장.

'벗어날 수 없구나.'

벗어나는 순간 이 덫은 악마가 되어 그녀의 모든 것을 앗아 갈 테니.

5년의 고생, 노력, 추억 모두 먼지가 되어 사라질 것이다.

여성은 눈을 질끈 감으며 어깨끈을 잡아 갔다.

그녀의 등 뒤로 문이 닫혔다.

쿵!

사장은 닫힌 문 앞에 무릎을 꿇었다.

'미안하다. 내가 무능해서 미안해!'

가증스러운 변명이다.

그래서 그 말은 입 밖으로 나오지 못했다.

그는 소리 없이 오열했다.

＊　＊　＊

새벽 장사를 나오던 노인이 4인조에게 망치를 맞고 중상을 당한 장소에 도착한 감독은 혀를 내둘렀다.

'이거 완전히 내가 생각했던 그 장소인데?'

새벽녘.

놈들을 쫓던 두 주인공이 편의점에서 컵라면을 먹고 다시 순찰을 돌기 위해 나선다.

그리고 잠시 후 그 장소에서 사건이 벌어진다.

주인공 둘은 분노한다.

몇 분만, 몇 분만 더 있었으면…….

좌절하고 절망하고 분노한다.

"이야아, 뻑치기하기 딱 좋은 장소네."

"그래요?"

"그럼요! 주택가라 새벽에 사람이 있을 리도 없고…….."

영화 자문으로 위촉된 종배수가 어깨를 거만하게 세우며 설명하자 감독과 두 배우가 눈을 빛낸다.

그걸 힐끗 본 종혁은 담배를 물었다.

"이번엔 절대 끼어들지 마래이. 경고했데이."

강철선이 정색하며 말했다.

웬만하면 얼렁뚱땅 같이 움직였을 텐데 못을 박았다.

"……높은 곳까지 선이 닿았다는 거겠지."

서울지방검찰청이 나선 일이다.

사회적으로 큰 이슈가 되거나 정재계의 일이 아니라면 나서지 않는 그들이 나선 거다.

거물이 얽혀 있단 뜻이다.

정영탁도 강철선이 말하지 말랬다며 입을 다물었다.

"흠."

스윽!

"형님! 감독님이 대본 읽는다고 이동하잡니다! 가시죠!"

종혁은 자신의 팔을 공손히 잡아끄는 종배수를 빤히 봤다.

"……죄, 죄송합니다."

혀를 찬 종혁은 감독에게로 향했고, 그걸 보던 종배수는 머리를 긁으며 뒤따랐다.

"종 사장님이 마음에 드셨나 봐요?"

김영진 감독이 활짝 웃는다.

"마음에 들다 뿐일까요."

삑치기 사건을 다루는 영화라 안마방 사장 역할도 그쪽 관련 과거가 있는 인물로 하려고 했는데, 종배수가 딱 그에 해당했다.

"크. 내가 연예인을 다 보네! 성공했다, 배수야!"

아니, 밉지 않은 수다쟁이라 캐릭터도 다시 짜고 있다.

그렇게 신나게 말하던 김영진은 그제야 아차 싶었다.

"아, 음…… 괜찮으십니까?"

"네? 아, 괜찮습니다. 감독님 영화인걸요. 감독님은 영화만 신경 써 주십시오."

경찰에 협조 요청까지 받은 영화다.

경찰 이미지를 개선에 도움이 되는 영화이니만큼 개인적인 감정은 잠시 접어 둬야 했다.

"허허. 그렇게 말해 줘서 고맙습니다. 그럼 이동하실까요?"

그들은 충무로의 한 건물로 향했다.

"오셨습니까, 감독님!"

"배우들은?"

"감독님만 기다리고 있습니다."

"벌써?"

대본 리딩 시작까지 30분이나 남아 있어서 느긋이 들어왔던 김영진은 다급해졌다.

"그리고……."

종혁과 종배수를 힐끔 본 직원이 그를 한 곳으로 데려간다.

"뭐?!"

"그게 사장님이……."

얼굴을 쓸어내린 김영진이 종혁을 힐끔 봤다.

때마침 핸드폰을 보고 있는 종혁. 다행히 듣지 못한 것 같았다.

"후. 일단 알았어. 그보다 두 자문님 자리 만들어 놔. 내 옆으로."

"네!"

김영진 감독이 웃는 낯으로 다가왔다.

"하하. 가시죠."

그제야 핸드폰에서 시선을 뗀 종혁은 김영진의 뒤통수를 보며 눈을 가늘게 떴다.

'흐음.'

종혁은 일단 입을 다문 채 뒤를 따랐다.

그렇게 3층 어느 사무실의 문을 열고 들어가니 앉아 있던 배우들이 황급히 몸을 일으킨다.

종혁은 눈을 빛냈다. 낯이 익은 배우들이 제법 있었다.

'저 배우는 경찰 역할로 많이 나온 분이고, 저 배우는…… 응?'

누군가를 발견한 종혁은 굳어 버렸다.

종혁과 눈이 마주친 한 사내도 마찬가지였다.

'정수 삼촌?'

특수범죄수사과의 형사, 김정수.

그가 배우들에게 물을 나눠 주고 있었다.

'삼촌이 여기 왜 있어?'

김정수도 눈이 크게 흔들렸다.

"왜요. 아는 분이라도 있어요?"

"아니요. 나이 많으신 분이 저런 허드렛일을 하시기에……."

"아아, 나이가 많든 적든 신입이면 저런 일부터 해야죠. 그게 이쪽 바닥 룰이에요."

"신입이요?"

"이쪽 바닥 저렇게 나이 먹고 들어오는 사람 제법 있어요. 어렸을 때 영화를 좋아했다가 이런저런 이유로 뒤늦게 꿈을 찾는 거죠."

김영진은 손뼉을 쳤다.

"자자, 곧 리딩 시작이니까 배우 아닌 사람은 모두 나갑시다! 우리 스태프도."

우르르!

종혁은 뒤도 돌아보지 않고 나가는 김정수를 일견했다.

어떤 상황인지 알아차렸기에 계속 쳐다볼 수가 없었다.

'특수가 위장 잠입을 하고 있다?'

하필이면 이 영화 사무소에.

며칠 전, 통화를 하며 화를 냈던 김영진과 오늘 직원에게 무슨 말을 듣고 표정이 굳었던 김영진의 반응이 머릿속을 스친다.

그 세력이 영화에도 투자를 한다는 정영탁의 말도 스친다.

'그 세력이 이 영화에 투자한 거구나!'

백 퍼센트였다.

'설마 여기 사장이?'

그 세력의 일원이거나 관계된 사람임이 틀림없다. 그렇지 않고는 박종수가 여기 있는 게 말이 안 된다.

"이쪽은 우리 영화의 모티브가 된 4인조 망치 뻑치기 사건을 해결하는 데 지대한 역할을 한 경찰대학교 최종혁 생도입니다. 자문으로서 많은 도움을 주실 예정이니만큼 현장에서 만나도 당황하지 마시라 소개시켜 드리려 초대한 겁니다."

"아."

정신을 차린 종혁이 고개를 숙였다.

"최종혁입니다. 잘 부탁드립니다."

웅성웅성!

종혁의 나이가 너무 젊다 보니 모두 당황한다.

그 순간.

짝! 짝짝짝!

양동현이 박수를 치자, 눈치를 보던 다른 사람들도 박수를 치기 시작했다. 곧 박수 소리가 공간을 가득 채웠다.

종혁과 김영준은 양동현을 보며 고맙다는 듯 고개를 끄덕였다.

"그리고 이쪽은……."

"반갑소. 자문을 맡은 종배수요."

"……크흠. 하여튼 바뀐 대본에 큰 영향을 주신 분이니 몇몇 배우님들은 이분의 조언이 많이 필요할 겁니다."

그렇게 말한 김영진 감독은 눈빛을 굳혔다.

"진짜 리딩 전 서로 안면을 익히자 만든 자리라고 해도 아닌 사람은 무조건 털어 낼 거니 진심으로 임해 주길 바랍니다."

그는 그렇게 말하며 한 여성을 봤다가 시선을 거뒀다.

종혁은 그걸 놓치지 않았다.

"아시겠습니까?!"

"예!"

"그럼 시작하겠습니다. 씬 넘버 1-1!"

그렇게 친목 도모를 겸한 리딩이 시작됐다.

* * *

"쯧. 30분간 쉬겠습니다."

김영진 감독이 일어서자 배우들이 모두 한 단역 배우를 바라봤다. 그녀의 대사가 끝나자마자 일어섰기에 어떤 관계가 있다고 생각할 수밖에 없었다.

  그 생각이 맞는 듯 단역 배우가 입술을 깨물며 고개를 숙였다.

  그런 그녀를 응시하던 종혁은 몸을 일으켰다.

  "생도님, 어디 가십니까. 물 빼러…… 합!"

  종혁이 빤히 쳐다보자 종배수는 얼른 입을 다물었다.

  고개를 저은 종혁은 주차장에 세워 둔 차에 올라타 핸드폰을 들었다.

  ─예. 특수범죄수사과 김종두 과장입니다.

  "저예요, 삼촌."

  ─……그래. 너 거기 있다고 정수가 문자 보내더라. 어떻게 된 일이야?

  "이번 영화 자문이에요. 4인조 삑치기 사건을 해결한 게 저잖아요. 그리고 정영탁 대표님과 강 검사님을 연결시켜 준 게 저고요."

  ─끙. 그럼 상황이 어떻게 돌아가는지 다 알아차렸다는 뜻이네.

  "여기 사장이 그들 중 한 명이죠?"

  ─업무상 기밀이야, 인마.

  "그 세력이 이 영화에 누굴 꽂았는지도 알아차렸는데도요?"

  ─뭣?! 누, 누군데!

종혁은 그 반응에 씩 웃으며 말을 툭 내뱉었다.

"삼촌부터요. 누가 여기에 끼어 있는 거예요?"

서울지방검찰청 형사부 부장검사인 강철선이 먼저 이들에 대해 인식했는데도 굳이 경찰인 특수범죄수사과를 끌어들였다.

즉, 정식으로 수사를 할 수 없는 상황이란 거다.

검찰 내부든 아니든 강철선을 찍어 누를 수 있는 거물이 연관된 일임이 분명했다.

그렇다면 김정수의 잠입도 정식 허가를 받지 못했을 확률이 크다. 검찰도 못 믿는 상황에서 경찰이라고 믿을 순 없을 테니.

"대체 어떤 거물이 얽혀 있기에 정수 삼촌이 정식 허가조차 못 받은 채 이렇게 잠입 수사를 하는 거냐고요."

─쿠당탕!

슬쩍 떠본 말인데 반응이 격렬하다.

─너란 놈은 진짜…….

김종두 과장은 미쳤다는 말을 꾹 삼켰다.

─후우. 그래도 말 못하는 거 알지? 끊는다.

뚝!

종혁은 갑자기 끊겨 버린 전화를 가만히 응시했다.

"거물……."

그동안의 정이 있어 대충이라도 말해 줄 법한데도 입을 다문다. 자칫 종혁이 다칠 걸 우려하는 거다.

그만큼 대단한 거물이 얽혀 있는 거다.

"대체 누굴까. 대체 누구기에 두 분 모두 이렇게까지 조심하는 걸까."

어떻게 생긴 놈인지 면상이 보고 싶어진다.

저 위에 앉아 전지전능한 신처럼 구는 놈의 멱살을 잡아다 시궁창에 처박고 싶어진다. 하지 말라니까 더 하고 싶어지는 청개구리 심보가 오랜만에 기지개를 편다.

"그리고 왜일까."

창문을 내리며 담배를 물던 종혁의 눈빛이 탁해졌다.

"갑자기 그 사건이 떠오르는 건."

다음 달 서울지방검찰청에서 경악스러운 사건이 터진다. 병원에 입원해 골골 거리던 종혁조차도 너무 놀라서 기억에 남은 사건이다.

조사를 받던 살인 용의자가 물고문에 의해 사망하는 사건.

1980년도도 아닌 2002년에 벌어진 고문치사 사건.

이 사건으로 인해 검찰총장과 서울지방검찰청의 검사장 목이 날아간다.

"진짜 왜……."

단 1퍼센트조차 서로 연관된 일이 아닐 텐데도 왜 이렇게 코가 간지러울까 종혁은 이해할 수 없었다.

종혁의 표정이 차갑게 가라앉기 시작했다.

찰칵! 치지직!

복잡한 심경을 담은 담배 연기가 흩어졌다.

한편 주차장 밖.

입구 옆 담벼락에 숨어 고개를 내민 종배수가 혀를 찬다.

"지금 갔다가는 얻어터지겠지?"

한평생 경찰에게 쫓기며 단련된 육감이 그렇게 외친다.

그 무서운 박 전무가 벌벌 떨 만큼 막강한 배경을 가진 인물에 성격도 지랄 맞다.

"이건 좀 있다가 드려야겠네."

종혁이 주차장으로 향하기에 피곤했나 싶어 산 비타민 음료.

종배수는 쪼그려 앉으며 담배를 물었다.

"에휴. 이 나이 먹고 이게 뭔 지랄인지."

곧 쉰인데 가진 거라곤 안마방 하나랑 당구장, 오락실 하나다.

누군가는 성공했다 말하겠지만 딸린 식구가 5명이다.

조직이 와해됐음에도 지금까지 곁을 지키며 형님, 형님 하며 따르는 바보 같은 놈들.

여기에 명동파에 상납도 해야 된다.

그러고 나면 막상 손에 쥐는 돈은 얼마 없다.

"최소한……."

'명동파와 깔끔하게 갈라지면 좋을 텐데.'

그럼 동생들에게 치킨집이라도 하나씩 차려 줄 수 있을 거다.

하지만 애초부터 얽히지 않았으면 모르되 얽힌 이상 깔끔하게 갈라지는 건 무리다.

'안마방을 차리는 게 아니었어.'

그동안 벌인 일에 대한 대가라도 치르는 것일까.

출소 후 없는 돈까지 끌어모아 차린 안마방.

하필이면 그 안마방을 차린 곳이 명동파의 영역이었다.

그 순간 종배수가 선택할 수 있는 건 두 가지뿐이었다. 명동파에게 박살이 나거나, 명동파의 그늘 밑으로 들어가거나.

그 뒤로는 벌어들이는 수익의 대부분을 명동파에 상납하는 신세가 되고 말았다.

'안 그럼 다 뺏겼겠지.'

그렇기에 종혁에게 좋은 인상을 심어 줘야 한다. 입 안의 혀처럼 굴어야 한다.

그래야 명동파와 깔끔하게 헤어질 수 있다.

그에겐 불가능에 가깝지만, 종혁에겐 겨우 말 한마디면 되니까.

'진짜 뭐든지 해야 한다! 그러려면…….'

"최소한 뭐요?"

"씨발!"

종배수는 기겁하며 넘어졌다가 고개를 돌리곤 활짝 웃었다.

"어이구, 양 배우님이 여기까진 어쩐 일로 오셨어?"

"뭐…….""

종혁을 힐끔 본 양동현은 말을 얼버무렸다.

"내가 보고 싶었구나? 에이, 그럼 말을 하지. 또 뭐가 궁금한데?"

"아니……."

"뭐야, 둘이 여기 왜 있어요?"

"아이고, 형님! 피곤하시죠? 여기 피로 회복에 좋은 비타민입니다!"

끼리릭!

종혁은 비타민 음료를 응시하다 피식 웃었다.

오는 길에 있던 슈퍼에서 산 게 분명한 비타민 음료에서 물방울이 흐른다. 여기에 도착한 지 꽤 시간이 지났단 소리다.

촐싹거리는 모습을 보면 눈치가 없을 것 같은데 의외로 있다.

만약 전처럼 생각 없이 행동했다면, 이를테면 방금 전 종혁 본인의 생각을 방해했다면 가만두지 않았을 거다.

"에헤헤. 자자, 쭉. 쭈욱!"

'그래. 이렇게만 해라.'

그러면 영화 촬영 기간 동안 사람대우는 해 줄 거다.

어떤 의도가 있다 한들 들어주지 않으면 그만이니 말이다.

종혁은 비타민 음료를 단숨에 들이켰다.

"어이구, 그래요. 아이고, 맛있다!"

"1절만 합시다. 그리고 여기 천 원이요."

"아니, 이건 제 성의……."

"난 범죄자한테 뭐 안 받아먹습니다. 가시죠, 양 배우님."

종혁과 종배수의 모습을 빤히 바라보며 눈을 빛내던 양동현은 고개를 끄덕였다.

　'형사는 범죄자를 이렇게 취급하는구나.'

　종배수가 내민 비타민 음료를 보던 종혁의 눈빛.

　비타민 음료를 받아 들 때까지 일어난 감정의 변화.

　'그 반장님이 이분을 보고 형사가 되기 위해 태어났다고 했지.'

　즉, 종혁이 이런 행동들 전부를 앞으로 연기할 배역의 지표로 삼을 수 있는 거다.

　'정말 재밌어!'

　형사라는 게 생각보다 더 어려운 것 같다.

　몸이 달아오르기 시작한 양동현은 종혁의 옆을 걸으며 종혁을 살폈다. 종혁의 모든 걸 알기 위해.

　종배수는 그렇게 멀어지는 둘, 아니 종혁을 멍하니 쳐다봤다.

　"들켰네?"

　속내까진 들키지 않았지만, 의도가 있단 걸 눈치챘다.

　눈빛이 그렇게 말했다.

　하지만 밀어내지 않는다. 아직 가능성이 있단 뜻이다.

　'진짜 뭐든지 한다!'

　그러려면 종혁이 뭘 좋아하는지부터 알아야 했다.

　그의 눈이 이글이글 타오르기 시작했다.

　"같이 가시죠, 형님-!"

5장. 삼성클럽

삼성클럽

새하얀 속옷을 입은 여성이 전신 거울 앞에 선다.

잡티 한 점 없는 순백의 나신이 시궁창에 빠진 것처럼 더럽게 느껴진다.

"모두 성공하기 위해서야. 성공하기 위해서⋯⋯."

그녀는 결국 청바지를 쥔 채 무너졌다.

그러나 도망치진 못했다. 도망쳐 봤자 더럽혀진 몸뚱이밖에 남지 않기에.

강제적으로 위를 볼 수밖에 없었다.

쿵쿵!

"다 입었어?"

문 밖에서 들려오는 악마 앞잡이의 목소리.

겨우 셔츠까지 입은 그녀는 문을 열었다.

사장이 청초한 여대생 차림을 보며 잠시 넋을 놓았다.

그녀는 치솟는 토악질을 겨우 눌렀다.

"오늘은 호텔이 아니야."

호텔이 아니라 이상한 장소다. 무슨 모임이라고 했다.

"일단 출발하자."

뚜벅뚜벅.

소속사 사무실인 건물 반지하를 나선 그들은 당장 며칠 전까지 타고 다니던 봉고 승합차가 아니라 소나타에 올라탔다.

그 악마가 준 돈으로 산 최신형 소나타.

부르릉!

차창 너머로 서울 저녁의 가로등 불빛이 부셔져 내렸다.

그렇게 그들이 떠나간 자리.

건물 근처에 세워져 있던 외제차 운전석에서 누군가 몸을 일으켰다.

종혁이었다.

"어후. 역시 외제차가 좋아."

종혁은 이제 막 코너를 꺾으며 사라지려는 소나타를 보며 시동을 켰다.

부르릉!

종혁의 차가 경쾌한 소리를 내며 출발했다.

그 미행이 끝난 건 소나타가 한 건물 앞에 도착해서였다.

마치 호텔이나 컨벤션 센터처럼 생긴 5층짜리 건물.

리딩 때 김영진에게 눈초리를 받은 단역 배우가 로비 입구에 멈춰 섰다.

차를 멀찍이 세운 종혁은 카메라를 들었다가 의아해했다.

"뭐야, 저 검둥이들은?"

검은 양복을 입은 이들이 단역 배우를 고개 숙여 맞이하고, 단역 배우는 뭔가를 설명한다.

조폭?

아니다. 본청 광수대에 들어가며 전국 조폭의 얼굴을 말단까지 싹 다 외웠는데, 아는 얼굴이 하나도 없다.

서 있는 자세도 다르다.

'보디가드?'

이윽고 다른 차가 도착하며 누군가 내린다.

배불뚝이 오십대 중년인.

모르는 얼굴이다.

그는 단역 배우의 옆구리를 끌어안으며 로비 안으로 들어갔다.

찰칵! 찰칵!

플래시가 터지지 않도록 개조한 카메라가 로비로 들어가는 둘뿐만 아니라 이후 속속 도착하는 얼굴들을 모두 찍는다.

'어?'

종혁은 다섯 번째 도착한 차에서 내린 한 남성을 보곤 미간을 좁혔다.

'사장?'

오늘 김영진에게 간단히 소개받은 영화사 사장이다.

다 옆구리에 젊은 여성을 끼고 안으로 들어갔는데, 영

화사 사장만 아무도 없이 잔뜩 굳은 얼굴을 한 채 건물 안으로 들어갔다.

그 순간 입구에 있던 검은 양복들이 이쪽을 쳐다봤다.

"어이구. 빠르기도 하다."

종혁은 차를 출발시키는 대신 옆에 놔둔 소주병을 꺼내 몸에 뿌리고 가글을 했다. 그리고 카메라와 소주병을 숨긴 후 운전대에 머리를 박았다.

그렇게 약간의 시간이 흘렀다.

퉁퉁퉁! ……쿵쿵쿵!

"아 누구야……."

쿵쿵쿵!

종혁은 졸린 눈으로 창문을 내렸다.

그리고 문을 두드렸던 검은 양복이 코를 막았다.

"뭐야……."

"단순 취객이다."

ㅡ칙! 알았다.

"어이, 여기서 자지 말고 집에 가서 자. 괜히 아버지 차 박살 내지 말고."

"어으. 뭐야, 여긴 어디야. 에이."

종혁은 그제야 차를 출발시켰다.

그렇게 약간을 달린 종혁은 다시 차를 세웠다.

들켰다고 차를 바로 출발시키는 건 하수나 하는 짓이었다. 미행을 했단 걸 자백하는 꼴이니 말이다.

차에서 내린 종혁은 핸드폰을 들었다.

"후. 살 것 같네."

술 냄새는 종혁도 괴로웠다.

―어머. 이 시간에 어쩐 일이세요?

저녁 10시, 전화를 받은 권아영이 놀란다.

종혁은 방금 전 있었던 건물의 위치를 말했다.

―보스가 거긴 어떻게 아세요?

권아영의 음성에 미약한 경멸이 서렸다.

건물이 누구 소유인지, 누가 주로 이용하는지 알고 싶어 전화했던 종혁으로선 놀랄 수밖에 없었다.

"뭐하는 곳인지 알고 있습니까?"

―원랜 군사독재시절 지방의 군 장성들이 서울에 왔을 때 편히 머물 수 있게 만든 호텔이었는데, IMF 때 망하면서 연회용으로 대여해 주는 곳으로 바뀌었어요.

그러나 속을 들여다보면 아니다. 세상을 제 것처럼 여기는 사람들이 누구 눈치 안 보고 여자랑 뒹구는 곳 중 하나다.

―요즘엔 삼성클럽? 걔네들이 자주 쓰는 걸로 알고 있어요.

"삼성클럽?"

―뭐래더라…… 음. 아, 여기 있다. 가요계에서 어깨 좀 펴고 다니는 인간들인데 영화계, 드라마계에서도 별이 되고 싶다는 의미로 지은 이름이라네요.

"그런 단체가 있었군요."

처음 듣는 이름이다.

종혁의 눈빛이 가라앉았다.

ㅡ생긴 지 오래된 단체는 아니에요. 한 7년? 권력자에게 연예인 상납을 하는 쓰레기들로 구성된 단체죠.

권아영은 PB였던 시절, 삼성클럽에 속해 있던 인물 중 하나가 그녀에게 돈을 맡기러 오며 그곳의 존재를 처음 알게 되었다.

꺼림칙한 돈을 맡기 싫어 거절했지만 말이다.

"권력자요?"

ㅡ대기업 전무, 1선 의원 같은 이들이요. 돈 많은 복부인에게 남자 연예인을 상납하기도 했다고 들었어요. 흠…… 얼핏 듣기로는 요즘엔 대선 캠프의 누군가에게 선을 대고 있다더군요.

흠칫!

종혁의 몸이 크게 흔들렸다.

"대선 후보요?"

정말 그렇다면 이건 게이트까지 번질 사건이다.

검찰총장과 서울지방검찰청 검사장의 목을 날린 그 사건과 연관이 있을 확률도 커진다.

ㅡ그것까진 잘 모르겠어요. 한번 알아볼까요?

"네, 부탁드리겠습니다. 하지만……."

ㅡ후후. 걱정 마세요. 위험할 것 같으면 바로 빠질게요.

권아영의 능력이라면 충분히 그럴 수 있을 거다.

고개를 끄덕인 종혁은 다시 입을 열었다.

이제부터가 본론이었다.

"권 이사."

-네.

"그 건물, 매입할 수 있겠습니까?"

-……네?

회귀 전이었다면 저 건물 안으로 들어가기 위해 웨이터든 요리 보조든, 경호원이든 별의별 짓을 다했을 거다.

하지만 지금은 아니다.

'돈이 있는데 왜 그래야 돼?'

종혁은 씩 웃었다.

* * *

그곳은 연회장이라기보단 추악한 욕망의 늪이었다.

나이 든 남자들의 손이 어린 여성들의 가슴과 엉덩이, 엉덩이 골을 오간다.

주무르고 쥐어짜고 긁는다.

그러며 다른 한 손으론 위스키 잔을 잡고, 그 눈과 입은 옆의 여성이 아니라 앞의 남성에게로 향한다.

그럼에도 서로 수치심을 느끼지 않는다.

더 흥분한다.

여성들은 필사적으로 신음을 참는 모습을 보인다. 더럽고 역겹지만, 억지로 연기한다.

"이번에 이 호텔 주인이 바뀌었다는 소리 들으셨습니까, 김 부장님?"

"아, 분당 개발 때 돈 좀 만진 졸부라지?"

"무려 200억에 팔렸답니다. 200억!"

거기다 20억을 투자해서 리모델링을 한다고 한다. 연회를 더 편안하게 즐길 수 있게 만들기 위해.

"……휘유. 그 돈이면 쉬리 같은 영화를 두 편이나 찍을 수 있겠네."

한국 역대 최고의 제작비가 들어간 블록버스터 영화인 쉬리.

무려 100억이 넘었던 제작비.

지금은 공동경비구역 JSA에게 그 위명을 넘겨줬다지만, 그래도 당시엔 충격이었던 액수였다.

"어? 그렇게 생각하니 얼마 안 되네요?"

"그러게? 여기가 그렇게 싼 곳이었나?"

연회장 안으로 막 들어오는 누군가를 발견한 김 부장이란 이가 혀를 찬다.

"여기도 아무나 받으면 안 되는데."

고작해야 영화사 사장이다. 제작비를 투자받지 않으면 굶어 죽어야 하는.

그런 이가 자신들과 같은 곳에서 논다는 게 썩 내키지가 않았다.

"그래도 귀엽잖습니까. 이렇게 우리들 사이에 끼려고 아등바등하는 모습이. 솔직히 우리도 저랬을 때가 있었잖습니까."

김 부장은 고개를 끄덕였다.

"맞아. 우리도 그런 시절이 있었지."

연예인에겐 신이나 다름없을만큼 막대한 영향력을 지닌 방송국 PD, 기자, 기획사 대표 및 임원.

잘나가는 선배들 수발 들며 꼭 저렇게 되겠다고 매일 다짐했다.

그리고 결국 이렇게 이룩해 냈다.

지금 가요계에서 자신들을 무시할 사람이 누가 있을까.

ㅡ아아, 모두 잘 즐기고 계십니까!

고개를 돌린 김 부장은 활짝 웃었다. 그건 안에 있던 다른 클럽 멤버들도 마찬가지였다.

저 인물 덕분이었다.

원래부터 파워가 셌던 자신들이지만, 이렇게 무리를 이루면서 가요계에서 감히 비교할 수 없는 막강한 권력을 얻게 만들어 준 존재.

이 삼성클럽의 회장 덕분에 가요계를 넘어, 연예계 전반에도 영향력을 행사할 수 있게 됐다.

이젠 영화계와 드라마계를 정복할 일만 남았다.

높은 콧대를 꺾을 일만 남았다.

그렇게 희열에 물드는 이들을 쭉 훑어본 사내, 단상에 선 오십대 사내는 입술을 핥았다.

"오늘 제가 이 자리에 올라온 이유는 새로운 회원을 소개하기 위해섭니다. 박수로 맞이해 주세요."

뚜벅뚜벅.

몸이 딱딱하게 굳은 이가 올라온다.

그의 얼굴을 본 이들이 웃음을 흘린다.

가요계 관계자라면 모를 리가 없는 얼굴. 90년대를 휩쓴 삼인조 아티스트 중 한 명인 안홍석이다.

한국 대표 춤꾼 중 한 명이며, 지금은 한 기획사의 어엿한 대표다.

"아, 안녕하십니까. 꼭 들어오고 싶었던 클럽에……."

단상을 내려온 회장은 연회장에 흩어져 있던 몇 명을 불러 안쪽의 룸으로 향했다.

바깥과 달리 조용한 룸.

한 인물이 회장을 보며 눈살을 찌푸렸다.

"꼭 저 기회주의자를 회원으로 받아들였어야 했나?"

"80퍼센트가 찬성한 일이잖아. 그만 받아들여, 박 국장."

"쯧."

삼성클럽은 기존 회원의 80퍼센트가 동의하지 않는 이상 새로운 멤버를 가입시킬 수 없다.

"아무튼 내가 여러분을 모은 이유는 클럽을 후원해 주시는 분들 중 가장 높은 분께서 성의를 원하시기 때문이야."

"성의라면…… 선거 자금?"

그들과 연관된 이들 중 성의라는 단어를 쓰는 인물은 딱 한 부류다.

정치인.

"하. 이거 너무한 거 아니야? 얼마 전에도 뜯어 가 놓고 또?"

"아니, 그분은 재벌이라 돈도 많으면서 왜⋯⋯."

"알아보니 현몽준⋯⋯."

"쯥! 입조심!"

"뭐 어때. 여기엔 우리뿐인데."

"그래도 언제나 조심해야지. 지금 검찰에서 우리 이름이 돌아다닌다는 거 몰라?"

정식 수사 단계는 아니지만, 찍었다는 소식이 들려왔다.

"실수라도 그분이 언급되면 우린 다 죽는 거야. 다른 분들은 몰라도 그분이 다치면 안 돼."

그들 다섯 명은 고개를 끄덕였다.

밖에 있는 클럽 회원들보다 위에 있는 그들.

같은 클럽 회원이라고 다 똑같은 건 아니다.

"여자는? A급으로 뽑아?"

"아니, 20살. 칼츤호텔 1303호. 모레 새벽 1시."

"거 선거 때문에 바쁜 분이 그럴 정신은 또 있나 보네. 알았어."

"그럼 이야기 끝난 건가?"

"열 장씩 모레까지 준비해. 같이 딸려 보내야 하니까. 자, 그럼 나가기 전에 건배 한번 하지."

그들은 잔을 들었다.

"우리 삼성클럽의 무궁한 발전을."

"위하여."

채채챙!

호박빛 술이 가득 든 술잔이 허공에서 부딪쳤다.

그리고 이틀 후 칼츤 호텔.

"어머. 또 오셨네요?"

로비의 프런트.

여직원이 선글라스를 낀 종혁을 반갑게 맞이했다.

"아이반 고객님?"

그녀의 러시아어에 종혁도 러시아어로 답했다.

"귀국하기 전에 마지막으로 어딜 갈까 고민했는데 여기가 제일 먼저 떠오르더군요."

"후훗. 한국은 즐거우셨나요?"

"한국에 온 김에 거래처를 찾아갈까 했는데, 주소가 너무 어렵더군요. 그걸 제외하곤 모두 만족스러웠습니다."

"어딘지 알려 주시면 제가……."

종혁은 고개를 저었다.

"어차피 또 올 텐데 그때 들르면 됩니다. 그리고 몰라야 당신과 또 이렇게 이야기 나누지 않겠습니까?"

종혁은 선글라스를 살짝 내리며 윙크를 했다.

웃음을 흘린 그녀는 종혁이 내민 여권을 받았다.

"어머. 또 1303호시네요?"

"마음에 들더군요."

"여기 있습니다. 다시 저희 호텔을 찾아 주셔서 감사합니다. 즐거운 시간 되시길 바랍니다."

키를 받아 든 종혁은 1303호에 들어가자마자 바로 이틀 전 숨겨 놓았던 카메라와 저장장치를 수거했다.

그리고 어젯밤 녹화된 걸 보기 위해 노트북을 켰다.

"음. 으음."

지이잉! 지이잉!

"예, 아이반입니다."

종혁은 치밀하게도 핸드폰마저 선불폰을 구매했다.

─후훗. 무슨 일을 하고 돌아다니는 건가요?

FSB가 만든 아이반의 여권과 카드가 한국에서 쓰였다.

나탈리아는 그걸 확인하자마자 연락한 거다.

"그냥 평소와 같죠. 범인 잡으러 돌아다닙니다."

─생도가요?

"그렇게 되더라고요."

종혁은 웃음을 흘리며 저장장치 속 녹화 파일을 클릭했다.

그리고.

"……이건 또 뭐가 어떻게 돌아가는 거지?"

예상과 다른 장면이 펼쳐진다.

의아해하던 종혁은 이내 곧 입술을 비틀었다.

"이것 봐라?"

─무슨 일인가요? 최?

웃음을 참는 종혁의 배가 끅끅 흔들렸다.

*　*　*

"……."

모니터에서 재생되는 영상 파일과 음성 파일을 모두 확인한 김종두 과장은 얼굴을 쓸어내렸다.

오늘 아침, 특수범죄수사과로 배달이 된 박스.

내용물을 같이 확인한 특수범죄수사과 대원들은 헛웃음을 터트렸다.

"정수 복귀하라고 할까요?"

휴직 신청을 하고 영화 사무소에 취직한 김정수.

"어. 이거 보니까 고양이 손이라도 빌려야 할 판국이다."

"옙!"

그들이 물러나자 김종두 과장은 핸드폰을 들었다.

─네, 삼촌! 최종혁 전화 받았습니다.

"야 이 미친놈아─!"

─으헉!

"내가 이쪽은 신경 쓰지도 말랬지─!"

─네?

"이거! 이거 네가 보낸 거잖아!"

─예? 뭘요?

"이놈이 또 수 쓰네! 너 지금 어디야!"

─무슨 일인지 모르겠지만 일단 진정하세요. 그리고 제가 뭘 보냈다면 선물이거나, 제가 감당하기 힘든 거라서 보낸 거 아닐까요?

'너 맞잖아, 인마!'

종혁의 말이 맞았다.

박스 안에 담긴 것은 선물이기도 했으며, 아직 생도 신분인 종혁이 감당할 만한 것도 아니었다.

"알았어. 네가 보낸 거 아니란 거지?"

－뭔지 모르겠지만, 예. 그럼 삼촌 믿고 끊겠습니다. 흐
흐.

뚝!

김종두 과장은 한숨을 쉬었다.

"썩을 놈."

또 빚을 졌다.

'대체 어떻게 이걸 입수한 거야?'

칼튼호텔이야 어찌어찌 그랬다 쳐도, 삼성클럽이란 놈
들이 파티를 벌이는 연회장 내부 영상과 음성은 어떻게
구한 것인지 도무지 알 수가 없었다.

김종두 과장조차도 어제야 겨우 알게 된 연회장 주소.

'뭐, 나중에 사건이 해결된 후 들어 보면 되겠지.'

그땐 말할 테니 말이다.

김종두 과장은 박스를 챙겨 들고 일어섰다.

"난 영감님 뵙고 온다."

"다녀오십쇼!"

그렇게 김종두 과장은 강철선을 만났고, 강철선도 김종
두 과장과 똑같은 반응을 보였다.

다만 극구 말려서 종혁에게 전화를 걸진 않았다.

강철선의 표정이 심각해졌다.

"이거 저희가 예상한 사이즈보다 큰 것 같습니다."

대선 후보의 이름이 거론됐다.

그것도 현재까지도 지지율 1위인 현몽준이다.

"종혁이 갸가 괜히 토스했겠습니꺼? 이건 내한테 맡기 이소. 우리가 감당할 사이즈가 아입니더."

그렇게 말하지만 다 생각이 있는 눈빛이다.

"……그럼 부탁하겠습니다, 영감님."

"이놈아들 싹 다 낚아챌 준비만 하소."

김종두 과장과 헤어진 강철선은 곧바로 검사장실의 문을 걸어차며 들어갔고, 잠시 후 검사장과 강철선은 이번엔 대검찰청 검찰총장실의 문을 걸어차며 난입했다.

* * *

늦은 저녁, 서울 변두리의 한정식집.

여당의 두 대선 후보가 비밀리에 만났다.

악수를 나눈 둘은 자리에 앉아 서로에게 담배를 권했다.

"또 그 일 때문에 부른 겁니까, 박 후보?"

마른 체형의 현몽준이 눈빛을 매섭게 굳힌다.

그러자 또 다른 대선 후보, 박노형은 푸근히 웃었다. 그의 잇새로 담배 연기가 흘러나왔다.

"여전히 급하십니다. 우리 문제도 급하게 결론 내려 주시면 좋을 텐데요."

"그건 경선 결과가 나온 후에 논의하자고 합의 봤을 텐데요?"

대선 후보 단일화.

대통령을 노리는 둘로서는 결코 양보할 수 없는 일이다. 너무 예민한 나머지 언제든 서로의 등에 찌를 수 있었다.

그건 눈앞의 박노형도 알고, 현몽준 본인도 안다.

거기까지 생각하자 현몽준은 박노형이 오늘 자리를 왜 만들었는지 눈치챌 수 있었다.

"꺼내 봐요. 어떤 칼을 준비했는지 한번 봅시다."

"흠."

박노형은 현몽준을 빤히 봤다.

한 사람에게만 불쾌한 침묵이 내려앉는다.

"이봐요, 박 후보. 지금 내 말이……."

'그래. 역시 아니다.'

박노형이 여태껏 보아 온 현몽준은 이런 참담한 짓을 저지를 사람이 아니다.

박노형은 결론을 내렸다.

"현 후보도 호가호위라는 말을 아시겠지요."

호가호위.

호랑이의 위세를 빌린 여우가 호기를 부린다.

"무슨……."

박노형은 의아해하는 현몽준의 모습에 가슴을 쓸어내렸다.

그가 이 끔찍한 일에 끼어 있지 않아서.

아직은 도덕적으로 믿을 수 있어서.

박노형은 현몽준을 향해 가져온 노트북을 밀었다.

"오랜만에 만난 검사 선배가 주더군요. 현재 검찰총장으로 계신 분인데, 귀 댁에서 눈살 찌푸릴 일이 생겼다고. 그런데 이쪽 일이니 이쪽에서 알아서 하라고요."

불길해진 현몽준은 두꺼운 노트북을 뚫어져라 쳐다봤다.

"그럼 전 옆방에 있겠습니다. 식사 맛있게 하십시오."

옆방으로 건너온 박노형은 식탁 위에 올려 진 테이블에 담뱃재를 털었다.

"식사 드릴까요?"

"그래 주세요. 오랜만에 주방장님 솜씨를 맛볼 생각을 하니 벌써부터 혀에 침이 고입니다."

"주방장님께 꼭 전해 드리겠습니다."

이윽고 음식이 나왔다.

고소하면서도 쌉쌀한 전복죽.

계절이 가을로 넘어가는 시기지만, 상황이 상황이라 뚝 떨어졌던 입맛이 전복죽 한 수저에 다시 살아난다.

"역시 전복죽은 이 집이 최고인 것 같아."

주머니 사정상 자주 찾을 순 없지만 말이다.

박노형은 한 숟가락 더 입에 가져갔다.

드르륵!

고개를 돌려 열린 문을 보니 현몽준의 얼굴에서 표정이 사라져 있었다.

"미안한데 먼저 가 보겠습니다. 식사는 다음에 제가 초대하겠습니다."

"멀리 안 나겠습니다. 조심히 가세요."

"미리 경선 승리 축하합니다, 박 후보님."

"감사합니다, 현 의원."

"……날 믿어 줘서 고맙습니다."

드륵!

문이 닫히자 박노형은 마지막 숟가락을 입에 가져갔다. 눈을 감으니 전복의 맛이 더 선명하게 느껴지고 있었다.

너무 씁쓸한 맛이.

한편 캠프로 돌아온 현몽준은 벌떡 일어나는 자신의 사람들을 쭉 둘러보다 한 사람을 발견하곤 그에게 성큼성큼 걸어갔다.

"후보님!"

중후하게 2 대 8 가르마를 탄 마른 몸의 사십대 사내.

1988년 울산 동구에서 무소속으로 출마했을 때부터 곁을 지킨 참모의 얼굴에 진 주름을 보니 세월이 무상함을 깨닫게 된다.

아버지 현주영 왕 회장조차 반대했던 1988년의 출사표.

아무 지원도 없어 힘들어하던 중 와중, 사무실 문을 박차고 들어왔던 24살의 패기 넘치던 청년이 어느덧 배만 나온 아저씨가 되어 있었다.

"이 사람아……."

"박 후보와 식사는 잘…… 후보님?"

쩌억!

뭔가 터지는 소리가 나자 캠프 사무실이 조용해진다.

볼을 붙잡은 참모는 당황하며 현몽준을 쳐다봤다. 그는 시계를 풀고 있었다.

"후, 후보님?"

쩍! 쩍! 쩍!

"악! 아악! 악! 왜, 왜 이러십니까 후보님!"

"이 실장, 잡아."

"예."

현몽준의 사무실 앞을 지키던 검은 양복을 입은 사내들이 참모의 양팔을 붙든다.

현몽준은 다시 참모의 뺨을 때렸다.

코에서 피가 터지고, 입 안에서 피가 터져도 그는 멈추지 않았다. 본인의 손에서 뼈가 부러지는 소리가 날 때까지.

현몽준은 공포에 질렸으면서도 궁금증을 두 눈에 담고 있는 오랜 친구를 보며 얼굴을 일그러트렸다.

지독한 배신감에 그의 눈이 눈물을 머금었다.

"왜 그랬냐. 내가 못해 준 것도 없을 텐데 왜 그랬어."

철렁!

참모의 심장이 철렁 내려앉았다.

설마했는데 정말 들킨 것이다.

현몽준은 노트북을 그에게 안겨 줬다.

"켜."

"후, 후보님! 이건 제가 다 설명……."

"켜—!"

눈을 질끈 감은 참모는 노트북을 켰다.

그리고 누가 시키지도 않았는데 바탕화면에 있는 영상 파일 중 하나를 재생했다.

슬금슬금 모여들었던 선거 캠프 위원들은 영상을 보곤 경악했다. 두 남녀가 호텔로 보이는 방 안으로 들어오고, 여성은 화장실로 향한다.

그리고 남성이 허리를 숙인다.

—박스는 차에 실어 드렸습니다. 총 120장, 12억입니다. 후보님께 말씀 잘 부탁드립니다.

—걱정 마세요. 한두 번도 아니고. 후보님께서 내일 연락드릴 겁니다.

—음. 지금 뵙는 건 무리…….

—김 회장, 정말 우리 후보님 뵙고 싶어요? 지금 차에 계시는데 김 회장이 기어코 봐야겠다며 올라오시라 할까요? 그럴까요?

—죄, 죄송합니다! 수고하십시오!

현몽준은 노트북을 뺏어 옆 사람에게 넘겼다.

영상은 계속 재생됐다.

"그래. 이 얼굴 기억이 나. 삼성클럽? 아마 가요계 쪽 사람이라고 했을 거야."

소속 연예인으로 하여금 홍보를 해 줄 만큼 꽤나 열정적인 지지 단체로, 당장 오늘 아침에도 안부 전화를 했었다.

지지자, 후원자에게 안부 인사를 하는 건 아침 일과 중 하나니까.

하지만 결단코 후원금을 받은 기억은 없었다.

"후, 후보님."

"쉿."

잠시 후 화장실에서 여대생이 가운만 걸친 채 걸어 나온다.

-자, 잘 부탁드리겠습니다, 후보님.

-들어서 알지? 누구에게도 말하지 않는 거? 방금 널 데려온 사람에게도 비밀로 해야 하는 거야. 그냥 잘 대접 했다고만 말하면 돼.

-네? 네, 네!

-그래. 이리 와.

탁!

현몽준은 그제야 영상을 중지시켰다.

박노형이 말한 호가호위.

그 정도가 아니다.

호랑이 위세를 빌린 정도가 아니라, 여우가 호랑이 흉내를 냈다. 마치 자기가 진짜 호랑이인 듯.

현몽준은 선거 캠프 위원들을 향해 허리를 숙였다.

"지금까지 부족하고 부덕한 저를 도와줘서 고맙습니다. 이 은혜는 다음 대선 때 다시 뵙고 다 갚도록 하겠습니다."

"······흑!"

"후보님!"

오직 현몽준만 믿고 쪽잠을 자며 버텨 왔던 모두의 눈에 눈물이 고인다.

"오늘은 조심히 들어가시고, 다음에 봅시다. 이 실장, 데리고 들어와."

선거 캠프는 곧 망연자실 절망과 분노에 휩싸였다.

사무실 안, 강제로 앉혀진 참모의 앞에 앉은 현몽준은 담배를 물었다.

참모의 두 눈은 미쳐 버리기 일보 직전이었다.

"창모야, 변명해 봐."

"제, 제 말부터 들어 주십시오! 이건 계략이고, 모함입니다! 분명 누군가······."

"창모야, 그게 아니잖아."

"검찰이 문제십니까?! 걱정 마십시오! 제가 아는 검사가 서울지검에 있는데, 그놈에게 제가 생명의 은인이라 지검장부터 검찰총장의 목을 날려 버릴 수 있는 사고를······."

"창모야!"

"들통날 걸 대비해 원래부터 그러기로······."

눈이 뒤집혀 지껄이던 참모 윤창모는 현몽준의 눈에서 흐르는 눈물에 얼굴을 구겼다.

"당신이 그런 표정을 지으면 안 돼지! 내가 당신 밑구멍 닦아 준 게 몇 년인데!"

무려 14년이다.

"나 아니었으면 당신 깜냥에 계속 그 배지를 달았을 것 같아?!"

현몽준은 눈을 질끈 감았다.

"당신이 뭘 알아! 처음부터 다 가지고 태어난 당신 따위가 뭘 아냐고! 나라고 이러고 싶었을 것 같아? 당신이……!"

그는 다 쏟아 냈다.

마지막이라고 다 쏟아 냈다.

"더 할 말 없지?"

더 있다는 듯 참모의 두 눈이 악독해진다.

"왕 회장님이 없는 이상, 당신 같은 인간은 절대 대통령 못해."

푸욱.

커다란 칼이 심장을 찌른다.

기어코 가슴을 헤집고 진실을 꺼내 든다.

"그래. 그런 것 같다. 내가…… 너무 긴 꿈을 꿨나 보다."

그러니 친동생 같았던 이가 숨겨 뒀던 속마음조차 몰랐던 거다.

이제야 알겠다.

감당하기 힘든 꿈이었다.

"마지막으로 하나만 묻자."

"……."

"왜 나한테 박쥐처럼 옮겨 다니라 한 거냐?"

"정치는 후안무치! 아직도 그걸 모르는 당신이 병신인 거야!"

현몽준은 완전히 깨달았다.

자신은 대통령이 될 자격이 없었다. 그저 대통령이란 욕심에 눈이 가려져 주위에서 하라는 대로만 하던 인형 따위에 불과했다.

이 모두 한여름 밤의 지독한 악몽이었다.

그걸 깨달았으니 이젠 깨어날 시간이었다.

"이 실장."

"예, 후보님."

"창모 잘 데리고 있다가 대선 끝나면 검찰에 데려다 줘."

"예."

그렇게 참모 윤창모가 끌려 나가며 조용해진 사무실.

담배에 손을 가져가던 현몽준은 핸드폰을 들었다.

"총장이시오? 나 현몽준입니다."

—어이구. 무슨 일이십니까, 후보님.

"이제 후보 아니니 그런 호칭은 관두십시오. 이제 우리 쪽 후보는 박노형 후보뿐이오."

—…….

"적절할 때에 도착한 선물이라 감사 인사를 드리고 싶 은데, 혹시 술 좋아하시오?"

—이거 검찰과 대선 후보가 만나면…….

"기자들에게 다 말하고 갈 테니 봅시다. 날 배신한 친 구가 그쪽에 심어 둔 벌레에 대해 할 이야기도 있고."

—잘 아는 대포집이 있습니다.

"소주 좋지요. 그럼 있다 봅시다."

이후 기자들에게 전화를 돌린 현몽준은 몸을 일으켰다.

취하고 싶은 밤이었다.

*　*　*

현몽준 후보, 박노형 후보 지지!
경선 전 후보 단일화 선언!

한국이 시끄러워졌다.

"미리 축하드립니다. 이러다 중수부 가시는 거 아니에요?"

ㅡ치아라, 마. 아직 멀었다. 뭐 그래도…….

특수부 부장을 약속받았다.

종혁은 그 말에 열렬히 축하했고, 강철선은 고맙고 고마우면서도 아쉬운 마음을 달래야 했다.

ㅡ하, 진짜 검찰 안 될 끼가?

"흐흐."

ㅡ에효, 문디 자슥. 아, 니 그 아나?

"뭘요?"

ㅡ그놈아가, 윤창모라는 개새끼가 우리 지검에 독을 숨겨 뒀대이.

그리고 윤창모가 그 독에게 여차하면 최소 서울지방검

찰청 검사장의 목을 쳐 버릴 만한 일을 저지르라고 지시
했단다.

검사 관두게 되면 로펌에 취직시켜 주겠다고.

종혁은 눈을 부릅떴다.

그의 머릿속에 서울지방검찰청 물고문 치사 사건이 떠
올랐다.

'그게 이렇게 연결된 거였다니!'

촉이 왜 그렇게 반응하나 싶었다.

―아무튼 그것 때문에 상황이 꼬롬하게 됐으니까 검사
는 몇 년 뒤에 지망 하그래이. 알긋나?

"꼬롬이요?"

―총장님이 전수 조사를 지시했다.

"……난리 나겠네요."

거의 개혁 수준의 난리가 날 것이다.

"그럼 그놈들은 어떻게 할 거예요?"

―어떻게 하긴. 곧 도착할끼다. 그쪽 처리되면 합류 하
래이.

"오, 갑자기 웬일이세요?"

―씁. 닌 이거 끝나면 죽었다. 각오 단디 해라! 알긋나!

"흐흐. 수고하세요."

전화를 끊은 종혁은 세트장 안으로 들어갔다.

정말 경찰서의 강력계처럼 꾸민 세트장.

그 무명 연예인, 여성이 눈물을 흘리며 연기를 한다.

"이 씨, 씨발놈들아! 내가……."

"커엇!"

분위기가 싸늘해진다.

"아니 그 대사 몇 마디 못해?! 눈물도 못 흘려서 안약까지 넣어 줬는데 왜 이러는데! 지금 낙하산으로 꽂혔다고 자랑해?!"

김영진 감독이 메가폰을 집어 던지고, 앞에서 그녀의 연기를 받아 주던 양동현의 얼굴도 굳는다.

단역이 벌써 4번째 NG.

촬영장의 공기가 나빠지기 시작했다.

"10분 휴식!"

종혁은 하얗게 탈색되어 밖으로 향하는 여성을 보며 혀를 찼다. 악마에게 영혼을 팔았으면 잘이라도 해야 할 텐데, 눈치를 보고 움츠리고 작은 소리에도 예민하게 반응한다.

이 악물고 노력하는 모습을 보이지만, 정신 한구석이 그쪽에 쏠려 있기에 잘할 수가 없는 것이다.

그리고 몸의 중심은 언제나 뒤로 빠져 있고 발끝은 세트장 밖으로 향해 있다. 이 자리를 벗어나고 싶은 거다.

도망치고 싶은 거다.

육체적 정신적 피해를 크게 입어 다른 사람을 믿지 못하고 두려워진 피해자에게서 나타나는 반응이다.

이 모든 걸 종합한 종혁은 결론을 내렸다.

'자의로 스폰을 받은 게 아니야.'

강제로 짓밟히고 유린당한 거다.

영혼을 억지로 팔게 된 거다.

지이잉. 지이잉.

"예, 삼촌."

특수범죄수사과 형사다.

ㅡ우리 20분 뒤에 도착할 건데, 안에 좀 말해 줄 수 있을까? 소란 없이 따야 돼서.

따다. 검거하다의 은어다.

"그럴 거면 차라리 삼성클럽 멤버들부터 따는 게 낫지 않아요?"

ㅡ그쪽은 강 검사님이 맡기로 했는데, 놈들이 다 그 호텔에 모이고 있는 중이란다.

"아, 그래서……."

놈들이 알아서 한자리에 모이니, 그 시간 동안 놈들과 연관된 피해자 및 공범들부터 어느 정도 확보하겠다는 소리다.

잠시 후 검거될 놈들이 피해자 및 공범에게 헛짓을 하지 못하게. 혹여 어떤 압박이 들어와도 피해자랑 공범이 있다 말하게.

즉, 이번 작전은 은밀하고 빠른 확보가 생명이었다. 절대 그 호텔에 있는 놈들에게 연락이 닿아선 안 됐다.

"알겠습니다. 저도 그에 맞출게요."

ㅡ크으! 그럼 부탁한다!

"옙!"

핸드폰을 구겨 넣은 종혁은 감독에게 허락을 받은 뒤

여성에게로 향했다.

주차된 소나타 뒤 고성이 퍼진다.

"대체 왜 이러는데! 어떻게 얻어 낸 배역인지 알잖아!"

"알죠. 아주 잘 알죠."

눈을 부릅뜨지만 손이 떨린다.

무서운 거다. 싫은 거다.

종혁은 사장을 봤다. 그리고 뭔가를 깨닫고 했다.

'저 사람……'

왜인지 억지로 화를 내고 있다.

금방이라도 눈물을 터트릴 듯 일그러진 눈이 그 증거다.

'흠.'

종혁은 머릿속이 복잡해졌지만 일단 앞으로 나섰다. 그
녀를 찾아온 이유 때문이다.

"저……."

흠칫!

그녀를 다그치던 사장이 종혁을 보고 놀란다.

"자, 자문님이 여긴 어쩐 일로……."

"아, 제가 배우님께 조언을 해 줄 수 있을까 해서요. 실
습 나갔을 때 이 역할 같은 피해자를 제법 봤거든요."

사장의 얼굴이 확 밝아진다.

"그런데 이게 남자가 듣기에 좀 거북해서……."

"아, 예예. 전 그럼 담배 좀 피우고 오겠습니다. 그리
고……."

사장의 낯빛이 굳어진다.

"잘 부탁드리겠습니다."

'흠.'

종혁은 멀어지던 사장을 응시하다 시선을 돌린 그녀의 앞에 쪼그려 앉았다.

지치고 도망치고 싶은데도 간절한 눈빛이 종혁을 응시했다.

"아가씨."

"……?"

"앞으로 20분이 아가씨가 인생에서 마지막으로 연기할 수 있는 시간이라 생각하세요."

20분이 지나면, 강제로 팔린 영혼이라도 구제할 수 없게 된다.

"그게 무슨…… 서, 설마?"

영리하다.

그래서 더 안타깝다.

하지만 여기까지다.

이유야 어찌 됐든 부당하게 따낸 배역이다.

그녀로 인해 그녀만큼 간절했던 누군가가 기회를 박탈당했을 수도 있기에 순수하게 응원할 수 없다.

그래도 배역을 연기할 만한 실력이 충분함을 증명했으면 했다.

아픔은 남겨도 미련은 남기지 말아야 하기에.

이대로 물러나면 정말 남는 게 없으니까.

그래서 종혁이 그녀를 찾은 것이었다.

흔들리는 두 눈을 진지하게 응시하던 종혁은 수고하시라 고개를 숙이며 돌아섰다.

"에헤헤. 형님, 어디가십니까? 저도 같이 가시죠!"

"······에휴."

종배수를 상대할 시간이 없다.

종혁 본인의 말로 인해 그녀가 어떻게 행동할지 모른다. 일단 사장부터 확보해야 됐다.

'뭐 알아서 떨어져 나가겠지.'

고개를 저은 종혁은 걸음을 재촉했다.

"형님-!"

* * *

연회장 안.

뜨겁고 추악함만 가득했던 공간에 혼란과 공포가 넘실거린다.

"뭐가 어떻게 되어 가고 있는 거야!"

"씨발. 이거 우리 좆되는 거 아니야?"

"김 사장! 지금 걔들 데리고 어디 좀 가 있어! 뭐? 촬영? 그건 내가 어떻게 해 줄 테니까 가 있으라고!"

그들이 가장 믿었던 패인 현몽준이 돌연 사퇴했다.

현몽준의 존재는 삼성클럽 회장과 간부만 알고 있던 비밀이라지만, 다른 이들도 알음알음 알고 있었다.

그동안 몇 번의 선거를 겪고, 성의를 모았던가.

또 이번 대선 얼마나 많은 성의를 걷었던가.

누군지 추리하지 못하는 게 이상했다.

그런데 그 대통령 당선이 유력했던 후보가 돌연 사퇴를 했다.

일이 어그러진 게 분명했다.

도둑이 제 발 저린다고. 그들은 공포에 떨 수밖에 없었다.

그들의 무기였던 방송과 신문.

여론.

그게 자신들에게 휘둘러질 수 있다.

찢기고, 뭉개지고, 사회에서 매장을 당할 거다.

그게 미치도록 두려웠다.

삼성클럽의 회장은 그들의 반응을 보며 입술을 깨물었다.

'빌어먹을! 갑자기 왜!'

당장 며칠 전에도 여자와 성의를 전달했다.

이건 배신이었다.

하지만 그보다 지금 닥친 이 상황을 현명하게 헤쳐 나가는 게 우선이다.

"회장님! 괜찮은 겁니까?! 우리 아무 탈 없는 거 맞죠?!"

모두의 시선이 모이자 회장은 억지로 웃었다.

"일단 저희 클럽 때문이란 게 확실시되지 않은 상황입니다. 일단 좀 더 사태를 관망한 후에……."

뚜벅뚜벅.

갑자기 경호원 중 한 명이 다가와 귓속말을 한다.

회장의 얼굴이 하얗게 질리고, 그 모습을 본 회원들의 심장이 내려앉는다.

"어, 어. 하하. 밖에 누군가 많이 와 있다네요…… 씨발!"

그는 돌연 몸을 돌려 뛰었고, 이내 회원들은 그 행동의 뜻을 알아차렸다.

"……저 개새끼!"

"도, 도망쳐!"

"가, 같이 가!"

연회장이 아수라장이 되었다.

한편 호텔 밖 거리.

멀찍이 떨어진 곳에서 호텔 입구를 응시하던 강철선이 우르르 몰려 나오는 경호원들을 보며 입맛을 다신다.

"아이코, 들켜 뿟나 보네."

하지만 괜찮다.

어차피 이곳 도로는 모두 통제되어 있다.

독 안에 든 쥐였다.

'하, 이 예쁜 썩을 놈.'

강철선은 호텔 입구를 응시하는 종혁을 봤다.

이번에도 종혁은 밥상을 차리다 못해 떠먹여 주기까지 했다.

그러나 개입하지 말라는 말을 무시했다. 이 부분에 대해선 단단히 혼을 내야 됐다.

'좀 있다가 보제이.'

강철선은 서울지방검찰청 수사관들과 경찰 본청 특수범죄수사과 형사들을 쭉 둘러봤다.

"다들 연장 챙겼으요?"

모두 대답 대신 쇠파이프며 야구방망이를 두드린다.

종혁과 강철선은 흐뭇이 웃었다.

'이게 어딜 봐서 형사야? 깡패지.'

그래도 이러니까 형사다.

험상궂은 사나이 마초들.

"하따 마 든든하네! 그럼……."

강철선이 권총을 꺼내 약실을 확인한 뒤, 호텔 입구를 차가운 눈으로 응시했다.

"드갑시다."

"자, 드가자—!"

"……푸흐흐."

"아이고. 오늘 푸닥거리 좀 하겠네."

형사와 검찰 수사관들이 도로를 건너고, 종혁도 우두둑 어깨를 풀며 걸음을 옮겼다.

"짜슥아, 넌 후문 가서 구경해라. 어데 형사도 아닌 게. 콱 씨."

합류를 하라고 했지, 검거를 하라곤 안 했다.

고마운 건 고마운 거고, 이건 별개의 문제였다.

"에이."

괜히 흥분했다.

혀를 찬 종혁은 몇몇 형사들과 함께 후문으로 달렸고.

"막아!"

"뚫어!"

호텔 입구에서 막아야 하는 자와 뚫어야 하는 자들 사이에 격돌이 벌어졌다.

* * *

툭툭, 탕탕.

후문 중 직원들만 출입하는 쪽문에 선 형사들이 야구방망이로 어깨를 두드리고, 쇠파이프로 땅을 두드린다.

진압조가 진입한 지 30분.

슬슬 지루해졌다.

"종혁아, 검거 끝나면 한잔할까?"

"시간 돼요?"

"……씨부럴. 맞네. 조서 써야 하네."

오늘 집에 들어갈 수 있으면 다행이다.

종혁은 그런 그들은 안쓰럽다는 듯 봤다. 직접 검거를 못해 아쉽지만 이건 다행이었다.

"그런데 왜 이렇게 늦어? 예상외로 반항이 세나?"

"그러게. 경호원들이 좀 치나……."

치익!

"오. 끝났나 보다."

그들은 긴장을 풀었다.

하지만 이어진 무전에 이내 표정이 굳을 수밖에 없었다.

－한 놈 빠져나갔다! 그쪽으로 도망친 놈 없어?

쪽문을 지키길 30분.

아직까지 사람 한 명 보질 못했다.

"니미럴. 쪽문 이상 없습니다."

－후문도 이상 없습니다.

－지하주차장 이상 없습니다.

－하아. 도대체 어디로 튄 거야? 이 새끼가 회장인데…… 다들 두 명씩만 남기고 들어와.

무전기가 조용해지자 후문과 쪽문을 지키고 있던 형사들의 시선이 반사적으로 객실을 향했다.

건물 밖으로 도망친 게 아니라면 건물 내부, 즉 객실에 숨었을 가능성이 컸다.

형사들은 객실들을 훑으며 한숨을 내뱉었다.

"방이 몇 갤까?"

2층부터 5층까지 한 층에 2개씩, 총 80개.

반면 이쪽의 숫자는 고작 30명.

이마저도 혹시 모를 상황을 대비하여 사람을 남겨 두긴 해야 하니, 더 적은 인원으로 80개의 객실을 뒤져야 하는 거다.

"씨발 새끼. 어디 잡히기만 해 봐라."

형사들은 이를 갈며 안으로 향했고, 종혁은 헛웃음을 터트렸다.

'아니, 나 포함 두 명이야?'

믿어 주는 건 고맙지만 좀 어이가 없었다.

쓴웃음을 흘린 종혁은 자신과 함께 쪽문을 지키게 된 형사 한 명에게 말을 건넸다.

"담배 피우실래요?"

"……그럴까?"

씩 웃으며 주머니에 손을 넣던 둘의 사이로 담뱃갑이 솟는다.

"에헤헤. 이게 진짜 죽여줍니다, 형님들!"

"……앤 뭐냐?"

"전직 아리랑치기, 현직 안마방 사장이요."

종혁은 눈이 마주치자 고개를 거북이처럼 숨기는 종배수를 보곤 한숨을 내뱉었다.

몇 번이고 꺼지라 했음에도 기어코 여기까지 쫓아왔다. 마음 같아선 트렁크에 구겨 넣고 싶었으나, 이런 놈에게 시간을 쓸 때가 아니기에 참았다.

그런데 사건 현장 깊숙이 따라 들어온 것도 모자라, 다른 형사에게까지 접근하고 있다.

이건 선을 넘은 거다.

'하 이걸 진짜 어쩌지?'

종혁의 눈이 사납게 일그러졌다.

대충 눈치로 상황을 알아차린 형사는 피식 웃음을 흘리곤 종혁을 달랬다.

"놔둬. 귀엽게 구네."

"……쯧."

"헤헤헤."

불까지 붙여 준 종배수는 눈치껏 물러났고, 신경을 끈 둘은 두런두런 이야기를 나눴다.

그렇게 시간이 흘렀다.

"진짜 늦네. 어이! 뭔 일 있어? 왜 이렇게 못 찾아!"

"몰라요, 씨발-!"

5층 객실 중 한 곳에서 들리는 외침.

"흠."

미간을 좁힌 종혁은 뒤로 물러났다.

"저 잠시 화장실 좀 다녀올게요."

"어? 어, 그래."

종혁은 호텔 안으로 향하며 핸드폰을 들었다.

"난데요. 이 호텔에 비밀 통로나 공간 같은 거 있는지 알아봐 줄래요?"

호텔을 이 잡듯 뒤졌어도 찾지 못했다.

분명 어딘가에 빈 공간이 있는 거다.

'이럴 줄 알았으면 설계도를 볼 걸 그랬나.'

종혁은 머리를 긁었다.

* * *

통조림이나 라면 따위가 쌓인 좁은 공간.

-회의 중이니 연락하지 마시오.

"의, 의원님! 의원님! 야, 이 개새끼야-!"

콰직!

전화기를 집어던진 삼성클럽의 회장이 손톱을 깨문다.

"이, 이제 어쩌지?"

뒷배가 되어 주던 이들 전부 등을 돌렸다.

돈과 여자를 받아 처먹을 때는 세상 모든 문제를 해결해 줄 것처럼 굴던 놈들이, 막상 본인들이 다칠 상황이 되자 외면한다.

지독한 배신감이 그를 감쌌다.

"개새끼들!"

삼성클럽 회장은 눈빛을 굳혔다.

'일단 버텨야 해.'

경찰이 철수할 때까지.

이후 숨겨 둔 장부를 찾아서 오늘 외면한 놈들의 목에 목줄을 걸어야 한다.

'그래. 그러면 되는 거야. 그러면 다시 옛날로 돌아갈 수 있는 거야!'

그의 입에 미소가 맺혔다.

"후우."

마음을 가라앉힌 그는 다시 벙커를 둘러봤다.

정말 우연히 발견한 공간.

바깥으로 연결된 전화기나 한쪽에 변기가 있는 걸 보면, 아무래도 호텔이 지어질 당시 혹여 북한과 전쟁이 터지면 장성들이 데려온 가족들을 숨기기 위해 만든 비밀 공간으로 추정됐다.

'그땐 그냥 대충 넘겼는데, 이게 날 살릴 줄이야!'

먼지가 가득하고, 통조림이나 라면 따위가 모두 유통 기한을 한참 넘긴 걸 보면 호텔 직원들도 모르는 공간이다.

그런데 이 바깥이 주방과 연결되는 복도다. 새벽에 음식을 훔쳐오면 얼마든지 버틸 수 있었다.

마음이 놓이다 못해 든든했다.

바깥을 경계하는 네 명의 경호원까지.

'하지만⋯⋯.'

이들도 완전히 믿을 순 없다. 삼성클럽 회장은 가슴팍을 더듬었다.

그런데 경호원들의 생각은 좀 달랐다.

'씨불. 이거 공무집행방해로 엮이는 거 아냐?'

'아니야. 매뉴얼대로 했잖아.'

언제나 의뢰인의 신변을 보호해야 하는 경호원이기에 가끔 이상한 의뢰인이 걸리면 경찰과 마찰을 빚을 때가 있다.

공무집행방해, 폭행, 상해.

이런 죄목들로 엮이면 의뢰인 지키려다 교도소 간다.

하지만⋯⋯.

'경찰이 자기들 정체를 밝히지 못하면 공무집행 성립 안 돼.'

험악하게 생기다 보니 조폭과 분간이 안 가는 강력계 형사들.

변명할 거리가 생기는 거다.

그래서 이런 상황이 되면 일단 먼저 때리고 보라는 매뉴얼이 생긴 거다. 난전이 되면 경찰은 자신들의 정체를 밝히지 못하니까.

그들은 마음을 놓았다.

그 순간.

띠리링! 띠리링!

깜짝 놀란 다섯은 바깥으로 연결된 전화를 봤다.

아무도 모르는 이 장소, 이 번호.

'……호, 혹시?'

삼성클럽 회장의 얼굴이 환해졌다.

'그래! 너희가 날 무시할 수 없겠지!'

자신의 입이 열리는 순간 다칠 테니 말이다.

그는 얼른 전화기를 들었다.

"예. 방일섭……."

─거기 있는 거 힘들지? 나와. 안 그러면 부수고 들어간다.

"……."

삼성클럽의 회장, 방일섭의 얼굴이 하얗게 질렸다.

한편 벙커 입구 밖.

쿠다다당!

"그러게 좀 더 빌려 달라니까."

종혁이 시끄러운 천장을 보며 한숨을 내쉬자, 강철선에게 요청하여 붙은 수사관 둘이 종혁의 어깨를 두드렸다.

"어쩌겠냐. 전전 지배인만 겨우 아는 곳이었다며."

"그렇다고 먼저 확인했다가 도망치면 안 되고."

맞는 말이다.

군사정권이 막을 내리며 잊힌 비밀 공간이다. 이 호텔의 주인이기는커녕 단순 이용객인 방일섭이 여길 안다고 볼 순 없었다.

그래서 겨우 수사관 두 명만 빌릴 수 있었는데 당첨이었다.

다행이라면 앞으로 몇 십 초만 지나면 형사와 수사관들이 이 복도를 빼곡하게 채울 거란 점이다.

그런데.

그르릉!

"……니미럴."

원래 복도였던 공간에 마법처럼 문이 열리며 검은 양복 네 명이 튀어나온다. 방일섭을 보호하며 주위를 둘러본 넷은 종혁과 수사관들을 보곤 놀랐다가 웃었다.

방일섭을 제외하더라도 이쪽은 넷.

상대가 셋이라면 어떻게든 돌파할 수 있으리라 여긴 것이다.

'씨불!'

그걸 눈치챈 종혁은 놈들이 수작을 부리지 못하게 얼른 입을 열었다. 수사관들도 마찬가지였다.

"잠깐, 우린……."

"막아!"

부웅!

"씨발!"

종혁은 휘둘러지는 주먹을 피하며 방일섭을 찾았다.

경호원 한 명과 주방 쪽으로 도주하는 그.

다급히 쫓으려 했지만 턱을 향해 내리꽂히는 주먹이 먼저였다.

"꺼져, 이 새끼야!"

쩌억!

그것마저 피하며 얼굴에 주먹을 꽂아 넣은 종혁은 땅을 박차며 크게 외쳤다.

"주방-! 주방 쪽문 막아-!"

형사들이 몰려오는 소리가 더 빨라졌다.

"종배수…… 어디서 들어 본 이름인데."

"하이고. 그냥 흔한 이름이라 그런 거겠죠."

"배수가?"

종혁이 여전히 화장실에 간 줄 알고 있는 형사는 종배수와 대화를 나누며 피식 웃었다.

"그런데 이놈은 화장실 똥통에 빠졌나. 왜 이렇게…….."

"주방-! 주방 쪽문 막아-!"

"……씨발!"

저편에서 들려오는 종혁의 목소리.

어떻게 된 일인지는 몰라도, 상황이 심상치 않게 돌아

가고 있음을 알아차린 형사는 물고 있던 담배를 던지며 주방으로 연결된 쪽문을 향해 몸을 날렸다.

그 순간.

주방 쪽문이 벌컥 열리며 방일섭이 달려 나왔다.

이쪽을 보며 식겁하는 방일섭의 얼굴.

형사의 얼굴은 활짝 펴졌다.

"잘 걸렸…… 홉!"

퍼억!

형사는 뻗어 가던 손을 다급히 회수하며 가슴팍 앞에서 교차했다. 그 위를 방일섭의 뒤에서 날아온 검은 구둣발이 때렸다.

"큭!"

"도망치십시오, 회장님!"

"으, 응!"

"저 씨발!"

"어딜!"

급소인 목을 노리는 발.

형사는 얼굴을 구기며 다급히 방어했다.

그리고 그사이 방일섭이 빠져나갔고, 형사는 다급히 외쳤다.

"누가 저 새끼 잡아!"

누군가라도 듣길 바라며.

그 외침에 방일섭은 이를 악물고 달렸다.

그런데 몇 미터 앞에 한 명이 서 있다.

"비켜! 비키라고 씨발!"

그는 가슴팍에 손을 가져갔고, 갑작스런 상황에 몸이 굳은 종배수는 이쪽을 달려오는 이를 보며 주춤 물러섰다.

그러다 문득 어떤 생각이 떠올랐다.

온 경찰, 검찰 병력이 이 잡듯 뒤지며 찾은 놈이다.

조금이라도 붙들면.

그런 시늉이라도 하면…….

마침 종혁이 주방 쪽문에서 달려 나오는 게 보였다.

"에라이!"

종배수는 눈을 질끈 감으며 날렸고, 얼어붙은 것 같은 모습에 안심했다가 깜짝 놀란 방일섭은 반사적으로 잡고 있던 걸 뺐다.

푸욱!

"어?"

순간 둘의 시간이 멈췄다.

종배수는 뭔가가 쑥 들어온 배와 뭔가를 쥔 방일섭을 번갈아 봤고, 정말 찔릴 줄 몰랐던 방일섭은 그대로 굳어 버렸다.

"이 씨버랠 놈이…….."

"야, 이 새끼야!"

방일섭의 등 뒤에서 터지는 외침.

그리고 커다란 그림자가 그를 덮쳤다.

'나이스, 종배수!'

눈치 없이 졸졸 쫓아다닌 놈이 결국 사고를 쳤다.

하지만 좋은 사고다.

느려진 시간 속 종배수를 보며 칭찬을 하던 종혁은 배에 칼 같은 걸 꽂고 있는 그의 모습에 눈을 껌뻑였다.

'어? 저게 왜…….'

쿠당탕!

방일섭과 땅바닥을 구른 종혁은 다급히 몸을 일으켰다.

그의 망막에 배를 잡고 무너지는 종배수의 모습이 맺혔다.

"종배수!"

6장. OO이란 이름의 악마

○○이란 이름의 악마

삐용삐용.

"내가 누군지 알아?! 내가 전화만 하면······!"

빠악!

"조용히 하고 타기나 해, 새끼야."

"우리가 경찰인 걸 알고도 막았지? 공무집행방해에 경관 폭행이다, 씹새야."

"예?! 아, 아니!"

호텔 앞이 시끄럽고 부산스럽다.

코에 솜을 구겨 넣은 수사관, 발목이 삐끗한 형사.

누구 하나 몸 성한 사람이 없었으나, 누구도 인상을 찌푸리지 않고 있었다.

가요계를 어지럽히던 삼성클럽을 단 한 명도 놓치지 않고 일망타진했기 때문이다.

표창장을 기대한 그들의 입가에 미소가 떠올랐다.

그런 그들의 곁으로 환자 이송용 스트레쳐가 지나간다.

촤르르르!

"음."

형사들의 표정이 묘해졌다.

그건 스트레쳐를 따라 걷던 종혁도 마찬가지였다.

"헤헤. 제가 도움이 된 거 맞습니까, 형님?"

종혁은 입을 다물었다.

뒷배와 따르던 이들마저 모두 잃은 방일섭이다.

당장 이곳을 어떻게든 빠져나갔다 하더라도 분명 잡혔을 것이다.

하지만 세상일이 모두 예상대로 흘러가지는 않는 법.

어떤 변수가 생길지 몰랐다.

그런 의미로 보자면 종배수는 분명 도움이 됐다.

또한 그의 과거가 어떻든 칼을 맞으면서까지 범죄자를 붙들고 늘어진 그의 용기를 폄하할 순 없었다.

그래서인지 마음이 복잡했다.

'하아.'

"처음이자 마지막으로 물을게요. 이유가 뭡니까?"

거머리처럼 끈질기게 따라붙었던 이유.

아니, 정확히는 종혁에게 바라고 있던 무언가를 묻는 것이었다.

종배수는 눈을 데구루루 굴렸다.

정말 말해도 되는 것일까.

잠시 고민에 빠졌던 그는 이내 용기를 내어 입을 열었다.

"그게……."

이유를 모두 들은 종혁은 헛웃음을 터트렸다.

'겨우?'

그러나 종혁도 안다.

본인에겐 식은 죽 먹는 것보다 쉬운 문제지만, 종배수에겐 너무 어려운 문제란 걸.

종혁은 에헤헤 눈치 보며 웃는 종배수의 모습에 심란해졌다.

"그래서 다 정리하고 동생들 치킨집을 차려 주겠다고요?"

"요, 요샌 PC방도 좋다니까 뭐…… 헤헤헤."

"그럼 당신은요?"

동생들에게 재산을 나눠 주는 것도 모자라, 성매매를 했다고 자수한단다. 이미 전과가 많은 종배수이기에 실형을 받을 확률이 크다.

"뭐 이 대한민국에서 저 할 일 하나 없겠습니까? 하하핫! 켁?! 아, 아이고, 배야……."

종혁은 괴로워하는 그를 가만히 응시했다.

과거의 죄를 모두 청산하고 일반인으로 살려고 한다.

습관적으로 범죄를 저지른 범죄자가.

하지만 결코 선은 넘지 않았던 잡범이.

마음이 복잡해졌다.

"……알겠습니다. 그렇게 해 드리죠."

"저, 정말입니까, 형님?"

세상을 다 가진 듯 웃는 걸 보니 마음이 더 흔들린다.

"그리고…… 쫏. 아닙니다. 치료나 잘 받아요."

종혁은 구급대원을 보며 고개를 끄덕였고, 종배수를 태운 스트레쳐가 구급차에 오르며 문이 닫혔다.

"영원히 충성하겠습니다, 형님! 형님 짱! 사랑합니……."

탁! 부르릉!

종혁은 떠나는 구급차를 심란한 눈으로 바라보다 강철선에게로 향했다.

그는 막 경찰 관용차에 억지로 태워지는 방일섭을 보고 있었다.

"아버님."

"걱정 마래이. 최고로 때려질 끼다. 관련자 모두."

하마터면 검찰총장의 목까지 날아갈 뻔했다.

억만금을 준다고 해도 평생 검찰과 척을 지겠다고 각오하지 않는 이상 그들을 변호할 변호사는 없을 거다.

판사도.

'다행이네.'

다시금 이영창이나 현승엽 등 법조계 인맥을 움직여 최대 형량과 피해 보상을 받게 하려고 했던 종혁은 고개를 주억거렸다.

이곳에 오기 전 검거한 단역 배우와 사장 말고도 소속사의 강권에 못 이겨, 혹은 술이나 약에 취해 강간을 당한 피해자들이 있었다.

"그러니 닌 표창장 받을 준비나 해라."

"표창장이요?"

"총장님이 입 싹 닦고 넘어갈 것 같드나?"

"오!"

총장이 주는 표창장이다.

그리고 고작 표창장만 주지 않을 거다.

이런 걸 바란 건 아니지만, 그래도 준다고 하니 이래저래 바삐 움직인 보람이 더 생기는 것 같았다.

"자, 그럼 말해 봐라."

"……뭘요?"

"연회장, 룸. 우째 구한기고?"

종혁은 빤히 쳐다보는 강철선의 눈에 머리를 긁었다.

그가 생각해도 말이 안 되는 가정이다.

"니…… 설마 저 호텔 산 기가? 아니제?"

"설마요. 제가 그 정도로 부자는 아니에요."

종혁은 코웃음치며 여유롭게 잡아뗐고, 강철선은 미심쩍어하면서도 고개를 끄덕였다.

그렇게 연예계를 뒤흔든 사건이 해결되었다.

* * *

—박노형 후보께서 드디어 대통령이……!

"와아아!"

선거 개표가 다 끝나지도 않았는데도 확정됐다. 모두 후보 단일화가 빠르게 이뤄지며 표심이 합쳐졌기 때문이다.

당사에 앉아 있던 박노형 후보와 국회의원들이 벌떡 일어나 만세를 외쳤다. 박노형 후보, 아니 대통령은 가장 먼저 옆에 앉은 현몽준에게 손을 내밀었다.

"덕분입니다, 의원님."

"부디 훌륭한 정치 부탁드립니다."

"암요. 그래야죠!"

"후보님! 아니, 대통령님!"

현몽준 의원은 다른 이들을 끌어안고 뛰는 박노형 대통령을 바라보다 몸을 돌렸다.

탁!

"수고하셨습니다, 의원님."

"집으로 가지."

"예."

그를 태운 검은색 세단이 조용해진 도로 위를 달리기 시작했다.

현몽준은 옆에 놓인 서류를 들었다.

이 대한민국에서 국민 영웅 중 하나로 꼽히는 이의 프로필.

"최종혁…… 이 젊은 친구란 말이지."

그 연회장에 잠입, 초소형 카메라를 설치해 놈들의 꿍꿍이를 밝히는 데 혁혁한 공을 올렸다는 종혁.

솔직히 욕심이 생기지 않는다면 거짓말일 거다.

참모였던 윤창모의 악행이 드러난 호텔 영상은 누가 찍은 건지 몰라서 더.

검찰총장이 결코 말해 주지 않았다.

하지만.

"이 청년 때문에 내 명줄이 끊기지 않았단 말이지."

삼성클럽과 연결된 정치인이 제법 있었다.

개중엔 고작 시의원일 뿐이지만, 야당 쪽 인물도 있었다. 그것도 꽤 거물과 연결된.

자칫 대통령 후보직을 계속 이어 갔다가는 어떤 공격을 받을지 알 수 없던 상황이었다.

그걸 생각하면 지금도 섬뜩해진다.

"이 실장."

"예, 의원님."

"최종혁이란 청년에 대해 심도 깊게 알아봐 줘. 내가 해 줄 수 있는 선물이 뭔지 알아야겠으니까."

"예, 알겠습니다."

고개를 끄덕인 현몽준은 어깨에 힘을 풀며 눈을 감았다.

'은혜를 입었으면 갚아야지.'

그는 미소를 지었다.

그리고 그건 박노형 대통령도 마찬가지였다.

'유도 영웅 최종혁…….'

그는 선거 캠프의 참모에게 손짓했다.

"왜 그러십니까, 대통령님?"

"내가 청와대에 입성하면 훈장 하나 준비해 줘요. 그리고 경찰 예산 지원 확대 문제부터 다룰 거니까 그것도 준비해 주고."

"예?"

박노형 대통령은 의미심장하게 웃었다.

그렇게 대한민국 제 16대 대통령이 정해졌다.

* * *

말도 많고 사건도 많았던 2002년 저물고, 2003년 새해가 됐다.

사람들은 밀레니엄 괴담의 공포를 완전히 벗어던졌고, 2002년 월드컵 4강 진출에 힘입어 무너진 대한민국을 다시 일으켜 갔다.

그래서인지 혹독한 추위를 자랑하는 겨울임에도 모두입가에 미소가 가득했다.

띠리리리링!

추위가 마지막 기승을 부리는 2월의 아침 9시 1호선.

지하철이 덜컹덜컹 소리를 내며 들어온다.

출근 시간이 훌쩍 지났음에도 많은 사람들이 내리고, 많은 사람들이 올라탄다.

어젯밤의 폭설 때문인지 평소보다 사람이 많다.

그렇게 서로의 목적지로 향하던 사람들은 이내 인상을 찌푸리며 코를 잡았다.

빨갛고 커다란 플라스틱통을 한 손에 든 남성에게서 술냄새가 풀풀 풍기는 탓이었다.

"흐흐흐."

벌겋게 달아오른 눈과 기괴한 웃음소리에 사람들은 한 발 옆으로 비켜섰다.

그리고 신경을 끈다.

지옥을 보고 싶으면 출퇴근길의 1호선을 보라.

분명 평범하지 않지만, 평범한 모습이다.

스윽스윽.

통이 무거운지, 아니면 원래부터 장애가 있는지 50대의 장년인이 다리를 끌며 이제 막 출발하는 지하철 앞에 선다.

그러곤 통 플라스틱통을 내려놓으며 주변을 쭉 둘러본다.

사람들이 모두 빠져나가 한산해진 공간.

MP3를 목에 건 남학생은 고개를 까딱이고, 후다닥 뛰어 내려온 여대생은 시간을 확인하며 발을 동동 구른다.

벤치에 앉은 할머니는 그런 이들을 흐뭇한 눈으로 바라본다.

여느 때처럼 평범한 광경이다.

그러나 벌겋게 달아오른 눈이 더 빨개지고.

"다…… 때문이야. 씨발 새끼들……."

지독한 술 냄새를 풍기는 입은 어떤 말을 심란하게 중얼거린다.

우두커니 선 그는 주위에 사람이 가득 들어찰 때까지 그렇게 중얼거렸다.

그러다.

띠리리리링!

저 멀리 지하철이 들어오자 장년인은 플라스틱통의 뚜껑을 열어 머리 높이 들어 올렸다.

그리고 뒤집었다.

촤아아악!

"아이씨, 어?"

물 같은 게 튀기에 얼굴을 구기며 물러났던 30대 남성의 콧속으로 기름 냄새가 파고든다.

"……휘발유?"

주위 사람들도 그 냄새를 맡았다.

사람들의 눈이 동그래질 때, 장년인의 손엔 싸구려 지포라이터가 들렸다.

"흐흐흐. 그래, 너희 씨발 새끼들 때문에 좆같은 세상. 다 너희들 때문에 죽는 거야. 다 너희들 때문에!"

"저, 저!"

"마, 막……."

기겁하고 경악하는 얼굴들.

생애 마지막 풍경으로 썩 나쁘지 않다.

장년인은 부싯돌을 돌리기 위해 엄지를 옮겼다.

그 순간, 두껍고 커다란 손이 라이터를 쥔 장년인의 손을 감쌌다.

그리고…….

뿌드득!

"……아아악!"

"이 겨울인데도 한국에 안 들어온다고요? 이야, 이 새끼들 독하네. 어떻게 시베리아에서 버티지? 땅은 파지나?"

덩치 큰 청년이 장년인의 팔을 꺾은 채 누군가와 통화를 한다.

"아악! 놔! 놔아!"

나탈리아의 목소리가 흘러나오는 핸드폰을 귀에서 뗀 종혁은 팔이 꺾여 버린 장년인을 보며 얼굴을 굳혔다.

"가만히 있어."

그러며 그는 손안에 가둔 장년인의 손을 주물렀다.

뿌드득! 뿌득!

팔꿈치가 꺾일 것 같은 고통과 손이 부서지는 고통.

장년인은 물 밖으로 나온 장어처럼 몸부림을 칠 수밖에 없었다.

"아아악! 크아악!"

"흠. 알겠습니다. 좀 더 주시해 주세요. 예, 부탁드립니다."

전화를 끊은 종혁은 112를 눌렀다.

"예, 수고하십니다. 여기가 용산역인데요. 방화를 하려는 인간을 잡아서요. 아무래도 분신자살 같은데, 기름 양이……."

덜컹 덜컹! 치이익!

도착한 지하철에서 내린 사람들이 그 광경과 휘발유 냄새에 흠칫 놀랐다가 이내 갈 길을 간다.

누군가는 눈을 빛내며 구경한다.

종혁도 그들을 본다.

회귀 전, 한국을 비탄에 빠트렸던 용산 지하철역 대참사.

총 338명의 사상자를 낸 끔찍한 화재 참사.

이번엔 그 누구도 다치지 않고 끝날 수 있었다.

이 평범한 일상을 지킬 수 있었다.

뻐근해지는 가슴을 어루만지며 지킨 일상을 둘러보던 종혁은 한 곳을 보며 고개를 모로 기울였다.

'음?'

30대의 한 여성이 어깨를 축 늘어트린 채 힘없이 터벅터벅 걷는다.

그녀의 양손은 대여섯 살 정도 되는 아이들의 손을 꼭 쥐고 있었다. 아이들의 미소는 해맑고 천진하며, 그걸 보는 여성의 미소도 세상에서 가장 포근하고, 아름다웠다.

세상에서 가장 아름다운 보석, 어머니의 미소.

어디서나 볼 수 있는 평범한 모습이다.

하지만…….

"저거?"

종혁은 여성의 낯빛을 보며 표정을 굳혔다.

* * *

웅성웅성.

입학식 때문에 경찰대학교가 시끄럽다.

경찰 정복을 입은 종혁은 누군가와 통화를 하고 있었다.

그의 눈이 차갑게 가라앉아 있다.

ㅡ놈들이 슬슬 선을 넘으려고 하고 있어요.

그들이 모집한 투자금의 규모가 금광의 가치를, 정확히는 일라이자 채굴로 위장한 그들이 채굴하고 대가로 얻을 수 있는 액수의 3분의 2까지 커졌다.

"그 선 무조건 넘길 겁니다. 두 배, 어쩌면 세 배까지."

그러다 처음으로 이자 지불을 연체하는 순간부터 놈들은 발을 뺄 준비를 할 거다.

"마지막으로 한탕 크게. 그동안 막대한 손해를 보면서까지 나눠 준 이자와 투자금을 한꺼번에 회수할 작전을 펼칠 겁니다. 그럼 그때……."

돈을 넣지 않으면 되는 거다.

그때가 놈들을 일망타진할 시기다.

돈은 돈대로 벌고, 놈들의 몸통도 잡고.

종혁은 벌써부터 그때가 기다려졌다.

ㅡ역시 최는 사악하네요.

"제가요?"

러시아 정보국 요원이 할 말인가 싶었다.

ㅡ그렇다고 쳐줘요. 드디어 놈들의 위치를 드디어 찾았으니까.

종혁의 눈이 부릅떠졌다.

"어딥니까!"

―찾아가려고요?

"……후우. 미안합니다. 실수할 뻔했네요."

드디어 찾은 몸통이다.

KGB의 후신인 러시아 대외 정보국 SVR이 몇 개월에 걸친 추적 끝에 겨우 찾은 놈들.

몸통이라고 생각할 수밖에 없다.

섣불리 움직여 놓칠 수는 없었다.

"대체 어떻게 추적한 겁니까?"

―최, 우린 러시아예요.

뜬금없는 말에 가까웠지만, 그래서 더 신뢰가 갔다.

아니, 이 정도면 거의 마법의 단어였다.

―요원들이 감시하고 있으니 너무 걱정 마세요.

"예, 알겠습니다. 계속 부탁드릴게요."

―뭘요. 수고해요. 아, 재학생 대표죠? 입학식 잘해요, 최.

전화를 끊은 종혁은 구름 한 점 없는 맑은 하늘을 봤다.

"……후우. 그래, 어쩔 수 있나. 믿고 참아 봐야지. ……힘들겠지만."

자신을, 그리고 무엇보다 어머니를 죽음으로 몰아넣었던 놈들.

당장이라도 놈들을 찾아가서 찢어발기고 싶지만, 일을 그르칠 수는 없기에 종혁은 끓어오르는 분노를 억눌렀다.

지이잉!

"또 누가⋯⋯."

발신번호를 확인한 종혁은 혀를 찼다.

종배수다.

그날 이후 몇 개월 실형을 살고 나온 종배수는 이렇게 매일같이 연락하고 있었다.

대부분은 안부 인사지만, 가끔은 그가 듣는 소문을 전하기도 한다. 마치 정보원처럼 굴고 있지만, 말이 많아서 귀찮았다.

"아, 끊겼⋯⋯."

지이잉! 지이잉!

"하, 나. 응?"

종혁은 얼른 전화를 받았다.

"예, 팀장님."

국정원 팀장이다.

'이분이 웬일이지?'

지난 겨울방학에 국정원 트레이닝이 끝났다. 연락할 이유가 없었다.

─오늘 재학생 대표로 선서하시죠, 최 생도? 떨지 마시라 전화했습니다.

"그건 또 어떻게 아시고?"

─하하. 제가 최 생도를 챙기지 않으면 누가 챙깁니까!

"어, 그런 것치곤 이번 설에는⋯⋯."

─그, 그땐 작전 때문에 바빠서⋯⋯.

그렇게 두런두런 이야기를 나누던 종혁은 이쪽을 향해 달려오는 후배를 발견하곤 전화를 끊었다.

"헉헉! 선배님! 시간 됐어요! 가셔야 해요!"

"아, 벌써 시간이 그렇게 됐어?"

"넵! 그리고…… 크으."

후배가 종혁의 가슴팍에 달린 훈장을 보며 엄지를 치켜 든다.

경찰대학교 역사를 통틀어 재학 중 대통령에게 훈장을 받은 인물은 종혁이 처음.

그것도 두 개다.

체육훈장 1급 훈장인 청룡장과 국민훈장 3급 훈장인 목련장.

둘 모두 결코 쉽게 받을 수 없는 훈장이다.

"끝까지 목련장은 어떻게 받은 건지 알려 주지 않으실 거예요?"

청룡장이야 대충 예상이 가지만, 목련장은 도통 이해가 되지 않는다.

"알면 다쳐, 인마. 가자."

"쳇. 알려 주는 게 뭐 어렵다고. 쪼잔해."

"얼씨구?"

"사랑합니다, 선배님. 충성, 충성!"

피식 웃은 종혁은 강당 안으로 들어갔다.

재학생, 입학생 전원이 부모 가족들의 시선을 받으며 꼿꼿이 서 있다.

종혁은 그중 키가 작은 누군가를 발견하곤 씩 웃었다.

'드디어 왔구나.'

믿고 등을 맡길 수 있는 후배, 강현석.

그가 드디어 종혁을 따라 경찰대에 입학했다.

아버지 강철선이 싫어 순경이 되었던 회귀 전과 달리 경찰대학교로.

기쁘지 않을 수가 없었다.

─톡톡 아아. 그럼 지금부터…….

이른 봄, 경찰대학교의 입학식이 시작되었다.

* * *

파랗고 맑은 하늘 아래, 개나리와 진달래가 수줍게 봉우리를 맺는다.

"현석아!"

"행님!"

후다닥 달려오던 현석이 아차하며 멈춰 섰다.

그리고 절도 있게 거수경례를 한다.

"충성! 경찰간부후보생도 강현석!"

맑게 웃는 모습에 회귀 전 형사로서 첫 출근을 해 인사하던 강현석의 모습이 오버랩되자 괜스레 울컥했다.

강현석은 그런 종혁을 보며 더 맑게 웃었다.

둘 사이에 뜨거운 열풍이 감싼다.

"그래. 잘 왔……."

"오빠야!"

후다닥! 퍼억!

2차 성징이 시작된 중학생 소녀의 베이비로션 냄새가 종혁의 콧속을 파고들었다.

"오빠야, 내 안 보고 싶었나?"

종혁의 품속에서 고개를 빼꼼 든 현희.

오늘따라 유독 빨간 입술에서 체리향을 풍긴다.

툭 건드리면 금방이라도 눈물을 쏟아 낼 것처럼 서운함이 가득한 발갛고 동그란 눈에 종혁은 그녀의 입술을 잡았다.

"으붑?!"

"이놈의 자식. 누가 화장하래, 어? 설날 때도 이러더니, 어?"

이게 아닌데라며 당황한 현희는 종혁의 손을 치며 살려 달라 발버둥 쳤다.

"킥킥. 가시나. 또 방해하더니만 꼴 좋데이."

현희는 현석을 죽일 듯 째려봤다가 종혁의 눈빛을 느끼곤 조신하게 고개를 숙였다.

'저, 저!'

강철선과 그의 부인 미자는 한층 더 잔망스러워진 딸의 모습에 오늘도 고개를 저었다.

그러다 주위를 둘러보며 감탄을 터트렸다.

"아따, 마. 전번에도 느꼈지만, 뭔 입학식에 사람이 이리 온기고. 군대 가나?"

"군대나 마찬가지죠."

1학년은 1학기 동안 한 달에 딱 한 번 외출이 허용된다. 아침에 나가면 저녁에 돌아와야 하는 외출.

그래서 경찰대 입학식은 다른 대학의 입학식과 다르게 가족이 찾아온다. 이제 떠나보내면 반년 뒤에나 볼 수 있기에 함께 손을 잡고 온다.

강철선도 그런 의미로 찾아왔을 거다.

"서운하진 않으세요?"

내심 아들이 법대에 진학하길 바랐을 강철선.

아마 지금쯤 속이 말이 아닐 거다.

"응? 뭐가? ……아, 서운도 자석이 있어야 서운하제. 저 불효자 자석은 내 아들이 아이다."

"아버지요!"

"누구세요?"

"……와. 진짜 이라깁니꺼!"

"누구신데 계속 말을 거십니꺼? 거 젊은 사람이 초면에 으이? 그러지 마이소. 그라고 어데 갱찰 생도가 대한민국 검사한테! 으이?"

"하이고, 몬났다. 몬났어. 이제 좀 용서해 주면 안 됩니꺼. 예, 현석이 아버지?"

"현석이 아버지 아이고 현희 아버지다! 흥!"

현석의 얼굴이 와락 구겨졌다.

종혁은 웃음을 참았다.

가만히 지켜보고만 있어도 전혀 지루하지 않은 가족이다.

아내의 질책에 투덜거리던 강철선이 종혁을 보자 흐뭇하게 웃었다.

"고맙데이."

"……갑자기요?"

"갑자기가 아이다. 내가 얼마나 고마운지 닌 모를 끼다."

평검사가 바로 부장검사로 점프했다.

줄을 잘 타는 것도 능력이라지만 시선이 고울 리 없다.

그런데 종혁 덕분에 다시 한번 능력을 입증하게 됐다.

연예계를 좀먹던 삼성클럽 일망타진.

이 한 번의 기획 수사로 인정을 받게 됐다. 또 서울지방검찰청 검사장과 검찰총장을 구했다.

강철선의 동아줄이었던 검사장은 검찰총장으로 임명됐고, 대검찰청의 중수부장은 서울지방검찰청의 검사장이 됐다.

강철선에게 차장검사까지, 아니 어쩌면 특수부장까지의 길이 깔린 거다. 실수만 하지 않으면 이번 정권이 끝나기 전 도착할 목적지. 승진 가도였다.

"모두 니 덕분이다. 증말 고맙데이."

"내도 고맙다, 오빠야."

"고마워, 종혁아."

진심으로 고마워하는 강철선의 눈빛과 손을 꼭 잡아 오는 현희, 그리고 어머님의 손에서 전해지는 온기에 종혁은 머리를 긁었다.

"여기 있었군, 최 생도."

"충성!"

경찰대학교의 새로운 학장인 이종업 푸근히 웃으며 다가왔다.

본래 학장이었던 최기룡은 박노형 대통령이 청와대에 입성하자마자 경찰청장으로 임명되어 본청으로 향했다.

인사를 받은 이종업이 입을 뗐다.

"잠시 이야기 좀 나눌 수 있을까?"

"예? 아, 옛!"

종혁은 이종업의 뒤를 쫓았다.

둘은 근처 잔디밭으로 향했다.

'와. 종혁 선배 벌써 학장님과 일대일 면담이야?'

'유명한 선배님세요?'

'뭐? 최종혁 선배를 모른다고? 경찰대를 지망해 놓고도?'

경찰대 재학생들의 선망 어린 시선이 종혁을 따라붙었다.

"한 대 필래?"

"아니요. 괜찮습니다."

고개를 끄덕인 그는 담배를 물며 종혁의 위아래를 훑었다.

'이 생도가······.'

최종혁.

경찰 고위 간부 중 이 이름 세 글자를 모르는 인물은

이제 없다고 봐야 한다.

기숙사 건물 신설부터 시작해 최근의 용산 지하철역 분신자살미수 및 방화미수 사건과 훈장까지.

현재 경찰 예산 증대에 한목소리를 보태는 국정원의 피지컬 트레이너였다는 점도 있다.

일일이 열거하자면 하루도 모자랄 업적들.

이걸 고작 경찰대학교에 입학한 지 3년 만에 달성했다.

'최 선배를 경찰청장으로 만드는 데 혁혁한 공을 세운 생도.'

최기룡이 말했다.

"가만 놔두면 알아서 치적을 만들어 줄 거다."

'……딱히 치적이 필요한 건 아니지만. 흠.'

그보단 무슨 일을 해도 지지해 줄 거라는 말이 더 그의 마음을 흔들었다.

'내가 뭘 하든 지지해 줄 거다라…….'

길고 길었던 경찰 생활의 마지막을 보내기 위해 지원한 경찰대. 즉, 경찰대는 그가 은퇴하기 전 마지막 근무지였다.

보다 훌륭한 경찰 간부를 배출하고자 일부러 택한 근무지.

'하지만 치열했지.'

경찰대 학장은 대부분 고위 간부가 은퇴하기 전에나 마

지막으로 들르는 한직이다.

그런데 98년도부터 지금의 최기룡까지 총 다섯 명의 경찰청장 중 네 명이 경찰대의 학장을 스쳐 지나가면서 그 의미가 좀 달라졌다.

여기에 종혁의 존재가 얹어졌다.

부산청의 청장까지 여기로 오려고 난리법석을 피울 정도였다.

"학장님?"

"아, 최근에 러시아에서 실무 실습을 하고 돌아온 이후 마음이 떴다면서? 그래서 작년 2학기엔 수업을 거의 안 들었고."

순간 불길한 생각이 든 종혁은 좁혀지려는 미간을 억지로 폈다.

"그건 곧 개봉할 영화 자문 역으로……."

"아아, 그걸 뭐라 하려는 게 아니야. 한 가지 제안을 하려는 거지."

종혁은 고개를 모로 기울였다.

"4학년 1학기 커리큘럼 중 현장 실습 있지?"

경찰대는 4학년에도 현장 실습을 나간다.

다만 3학년처럼 생활안전과가 아니라 형사과로 간다.

"그 기간을 좀 확대를 하려고 해. 그러면서 멘토링 시스템도 시범적으로 도입하고."

"설마 저희 4학년과 1학년을……."

이종업은 고개를 저었다.

"그것도 좋지만 일단은 4학년과 현직 형사, 그리고 우리 경찰대에 연수를 오는 외국 생도들까지 3인 체제로 엮으려 해."

"연수요?"

순간 종혁의 머릿속에 프로파일링과 행동심리학을 배우기 위해 경찰대에 교류 및 연수를 오는 외국 대학의 교수와 학생들이 떠올랐다.

하지만 분명 생도라고 그랬다.

그 말의 진의를 알아들은 종혁은 화들짝 놀랐다.

"러시아를 말하시는 겁니까? 그쪽에서 연수생을 보내는 겁니까?"

"일본도. 아마 초임 간부가 올 수도 있을 거야."

종혁의 눈이 커졌다.

'러시아야 나탈리아가 있으니 어떻게든 이해할 수 있지만, 일본까지? 왜?'

만날 가기만 했던 연수라 경찰대와 한국의 위상이 높아진 것 같아서 일단 기분이 좋았지만 머릿속이 복잡해졌다.

"무슨 말인지 알겠습니다. 4학년 의견을 모아 달란 말씀이시죠?"

그렇게 말하는 종혁의 표정이 썩 좋지 못했다.

졸업을 하면 경찰 간부로 임명을 받을 4학년이다. 앞으로 1년만 지나면 진짜 경찰이 되는 거다.

그 때문인지 배워야 할 양이 1, 2, 3학년 때를 전부 합친 것보다 더 많다.

여기에 멘토링 시스템을 도입한다?

4학년 보고 그냥 죽으라는 소리다.

"역시 듣던 대로 영특하군."

이종업은 씩 웃었지만, 종혁은 회의적이었다.

하지만 아직 이종업의 말은 끝나지 않았다.

"대신 지원자는 올 A. 출석 없이 시험만 봐도 되고, 현장 실습은 A플러스를 주지."

움찔!

'하, 참! 이제 우리가 하루에 몇 시간 자야 되는지 알고!'

하루에 4시간 자면 많이 자는 걸 거다. 그만큼 살인적인 공부의 양이 예약되어 있다.

그런 상황에서 멘토 역할을 맡아 시간을 낭비한다?

경찰이 됐을 때 제 몫을 다하지 못할 수 있다.

종혁은 이종업을 노려봤다.

"몇 명이나 모으면 되겠습니까?"

A와 A+.

그러나 당연히 거부할 수 없는 점수였다.

"그런데 왜 이렇게까지 하시는 겁니까?"

승낙을 하긴 했지만 반향이 있을 수밖에 없다.

자칫 잘못하면 최기룡처럼 높은 자리로 향하는 게 아니라, 경찰대 학장을 마지막으로 경찰 일을 접어야 할 수도 있다.

이종업은 경찰대 교정을 둘러보며 입을 열었다.

"당연히 보다 훌륭한 경찰 간부 양성을 위해서지."

올바른 판단을 위한 지식 습득.

당연히 중요하다.

간부로서 갖춰야 할 소양 중 1순위다.

경찰대가 세워진 것도 이런 소양을 갖춘 간부를 배출하기 위해서다.

그렇게 졸업한 경찰은 의전경 부소대장과 순환 보직을 거치며 겪는 실전을 통해, 경찰대에서 배운 것들을 녹여내고 나서야 비로소 한 명의 간부가 된다.

그런데 문제가 생겼다.

작년 종혁으로 인해 촉발된 일 때문에 간부 TO가 한상원 때만큼 생겨났다.

조폭 및 유흥가와의 전쟁.

말만 경찰이었던 기생충들이 대다수 박멸됐다.

그런데 아직도 그 TO가 다 채워지지 않은 상태다.

오직 실력과 인성.

한상원 검거 때부터 시작된 경찰의 자정 작용 때문에 진급이 깐깐해졌기 때문이다.

그래서 온 거다.

보다 더 빨리, 보다 더 많이 간부로서의 모든 덕목을 갖춘 간부를 배출하기 위해.

애써 생긴 TO를 엄한 놈이 차지하지 못하게 하고자.

"그러기 위해선 리더십까지 갖춘 간부를 양성해야지."

그는 이런 숭고한 목적을 가지고 경찰대에 온 것이었다.

"아."

종혁은 진심이 가득한 그의 눈에 탄성을 터트렸다.

그리고 4학년들도 그런 그의 의지에 적극 동참하기로 했다.

공부와 멘토링을 함께 병행하지 못할 허약한 놈은 지금 빠지라는 듯 권투글러브를 끼며.

* * *

입학식으로 인해 시끄러웠던 경찰대학교도 평소와 같아졌다.

생도들은 열을 맞춰 절도 있게 걷고, 허리를 꼿꼿이 세운 채 강의를 듣는다.

체력 단련실은 언제나 만석.

종혁의 구령에 맞춰 몸을 만들어 간다.

그런데 그렇게 이어지던 일상이 얼마 지나지 않아 다시 시끄러워졌다.

해외에서 연수생이 도착했기 때문이다.

러시아와 일본.

두 나라에서 한꺼번에 연수생을 보냈다.

종혁은 그중 한 명을 보곤 눈을 크게 떴다.

"쿄 형?"

"오랜만이야, 종혁."

일본에서 인연을 맺은 무로이 코헤이.

그가 유창한 한국어로 인사하고 있다.

종혁은 입을 떡 벌렸다.

"아니, 형은 이미……."

일본 경찰대학교를 졸업 후 경부보로 임관됐다는 소식을 듣고 축하한 게 바로 작년이다.

즉, 현직 경찰이란 소리다.

한국으로 치면 경위 계급인 경부보. 그리고 내년 초에 경부로 진급하기로 예정되어 있다.

한국과 일본은 진급 체계가 약간 다른데, 보통 커리어라 불리는 1종 공무원 시험을 합격해 경부보로 임관을 하면 대략 1년 반 만에 경부로 진급한다.

일본 특유의 엘리트주의가 만든 진급 체계다.

"아, 진급하기 전에 너와 임 교수님이 만든 한국 경찰의 수사 기법을 제대로 배우려고 온 거야. 경부가 되면 나도 단독 수사를 하게 될 테니까."

한국에 오기까지 참 힘들었다.

종혁이 미국에서 열린 최첨단 수사 기법 포럼에서 날아다니지 않았다면 아직까지 오기 힘들었을 거다. FBI뿐만 아니라 세계 유명 범죄학 교수들도 욕심을 내는 수사 기법.

고개가 한없이 뻣뻣한 일본 관료들도 인정할 수밖에 없었다.

물론 무로이는 이 말을 삼켰다. 굳이 밝혀서 좋을 일은 아니었다.

 "아아, 이래서 학장님이 초임 간부가 올 수도 있다고…….'"

 '일본이 뭔 일이래?'

 한국이라면 일단 무시하고 보는 일본이다.

 물론 한국도 마찬가지지만, 그래도 놀라운 건 놀라운 거였다. 이전의 교류는 대가성의 성향이 강했기에 이번 일과 별개다.

 종혁은 환하게 웃으며 손을 내밀었다.

 "아무튼 잘 왔어요."

 "응. 나도 잘 부탁해."

 덥썩!

 "응?"

 종혁과 무로이는 당황했다. 털이 숭숭 난 두꺼운 손이 종혁의 손을 먼저 잡았기 때문이다.

 "반갑습니다, 동지! 삼촌에게 이야기 많이 들었습니다! 으하핫!"

 두꺼운 손만큼 덩치도 종혁에 버금가는 스킨헤드 러시아인.

 여기서 더 당황스러운 건 귀염상의 얼굴과 능숙한 한국어다.

 몸은 곰도 맨손으로 때려잡을 것 같은데, 눈은 개미 한 마리 죽이지 못할 만큼 영롱하다.

 그런데 희한하게도 익숙한 얼굴이다.

"삼촌?"

"러시아의 영광을 위해! 으하핫! 경찰소위 미하일 세브 첸코입니다."

특이하게도 군대와 같은 계급을 쓰는 러시아 경찰. 경찰이란 이름 뒤에 군대와 같은 계급을 붙여 말한다.

이쪽도 초임 간부였다.

"……세브첸코 씨?"

FSB 대테러부대 알파의 훈련 교관. 그의 성이 세브첸코였다.

종혁은 갑자기 머리가 아파졌다.

'이거 설마 나만 4인 체제로 가는 건가?'

그런 종혁의 생각은 맞았다.

　

−부탁해. 양국에서 어찌나 부탁하던지.

−아니…….

−대신 중간고사 A플러스.

그 말에 대답할 수 있는 건 '예'밖에 없었다.

'뭐 한 명이나 두 명이나.'

거기서 거기다.

종혁은 그들을 데리고 본청으로 향했다.

"종혁아!"

아직 40대 후반임에도 백발이 성성한 중년인이 양팔을 활짝 벌려 맞이한다.

국내 1호이자, 아직도 경찰 전체를 통틀어 단 한 명밖에 없는 프로파일러 권순호 경사.

본청 프로파일링수사과의 대장.

"드디어 김 과장님 버리고 우리 과로 오기로 한 거야?!"

종혁은 프로파일링수사과를 둘러봤다.

책상이 하나만 놓인 작은 사무실.

그랬다. 권순호 경사는 프로파일링수사과의 대장이자 유일한 구성원이었다.

"아까 전화 드렸잖아요."

"멘토링? 쩝! ……뭐, 그래도 잘 왔어! 네 덕분에 숨 좀 돌리겠어!"

"저 공부해야 되니까 너무 부려 먹으시면 안 돼요."

"흐흐. 설마 내가 그럴까."

그러고도 남을 분이란 걸 종혁은 안다.

대한민국에 수없이 많은 사건이 터지는데, 프로파일러라곤 고작 권순호 경사 한 명뿐이다.

아직은 프로파일링이 어색한 시기라 불러 주는 사건이 많이 없다하더라도 일에 치일 수 있었다.

"아, 이쪽은 앞으로 함께할 무로이 코헤이 경부보와 미하일 세브첸코예요."

셋은 인사를 나눴다.

권순호 경사는 둘의 유창한 한국에 놀라워했다.

"그래, 잘 왔어요. 다들 아직 식사 전이죠? 일단 식사부터 하러 갑시다."

그들은 그렇게 본청 근처의 불고기백반집으로 향했다.

그 어떤 외국인에게 추천해도 실패하지 않는 불백.

졸여지는 간장과 불고기 냄새에 무로이와 미하일의 목구멍으로 침이 넘어간다.

"여기 주문 받아 주세요!"

"예! 갑니다!"

물과 컵을 든 여성이 빠르게 다가오다 갑자기 멈춰 섰다.

"콜록! 콜록. 콜록!"

'어? 저분은?'

기침 소리에 반사적으로 고개를 돌렸던 종혁은 눈을 동그랗게 떴다. 대참사를 막은 그날, 지하철역에서 봤던 두 아이의 어머니였다.

이제 겨우 20대 중반이나 됐을까 싶은 젊은 여성.

종혁은 그런 그녀에게서 시선을 떼지 못했다.

"휴우. 죄송해요. 4인으로 드릴까요?"

그때보다 더 파리해진 얼굴이 시선을 붙들고 있었기 때문이다.

금방이라도 쓰러질 듯한 파리한 낯빛이다. 숨은 거칠고, 고약한 구취가 치약 냄새와 함께 미약하게 맡아진다.

종혁의 입에서 반사적으로 말이 튀어 나갔다.

"괜찮으세요?"

"네? 아, 네!"

여성의 눈에 아픔이 스쳐 지나간다.

하지만 곧 뭔가를 생각하며 활짝 웃는다.

그 뭔가가 무엇인지는 모르지만, 분명 자신이 아닌 다른 누군가를 위해 본인의 몸 상태를 알고도 돈을 벌기 위해 일을 하는 거다.

마지막 촛불을 태우는 거다.

종혁은 그 누군가가 짐작이 갔다.

"……일단 8인으로 주세요. 많이 먹으니까."

"네! 8인 주문 받았습니다!"

그녀가 돌아가고 남겨진 자리.

종혁을 비롯한 4명의 입이 다물어졌다. 이 자리에서 그녀의 각오를 읽지 못한 사람은 없었다.

곧 식사가 나왔다.

"젊은 아가씨가…… 쯧쯧."

권순호 경사는 이를 쑤시며 혀를 찼다. 무로이와 미하일도 생각이 많은 얼굴이다.

"그럼 저흰 먼저 가보겠습니다."

"뭐야, 벌써 가려고?"

"오늘은 그냥 인사 차 온 거예요. 내일부터 제대로 뵙겠습니다!"

"쩝, 그래. 내일 봐."

따리링! 따리링!

"프로파일링수사과 과장 권순호입니다. 아, 용산서요?"

권순호 경사는 손을 저었고, 거수경례를 한 종혁은 돌

아섰다.

"자, 그럼 둘이 머물 숙소부터 알아볼까요?"

멘토링 시스템이 시작되며 제약이 풀렸다.

경찰대학교에 복귀하지 않아도 됐다.

종혁은 두 사람을 종혁 본인의 집이 있는 정혁 빌딩에 머물게 할 생각이었다.

부우웅!

달리는 차 안.

방금 전 여성 때문인지 입이 쉽게 열리지 않는다.

"……우리 러시아도 저런 여성이 많습니다. 부양해야 될 가족을 위해, 자식을 위해."

돌아오지 않는 남편 대신 몸이 부셔져 가도 이를 악물고 일하는 여성이 많다.

무로이의 낯빛도 어두워진다. 일본에도 미혼모 가정이 많기 때문이다.

종혁은 그런 둘을 보며 엄한 표정을 지었다.

"섣불리 일반화를 하면 안 됩니다."

"예?"

"그녀에게 어떤 사정이 있는지 판단할 수 있는 확실한 근거는 없다는 겁니다."

성급한 일반화는 편견을 만들어 내고, 이는 무고한 피해자를 발생시키기도 한다.

확실한 근거가 없다면 섣불리 판단을 내리지 않고, 자신의 생각이 틀릴 수도 있다는 전제를 두어야만 하는 것이다.

특히나 프로파일링에서는 몹시 조심해야 될 부분이었다.

종혁 본인도 그녀에게 남편이 있는지 없는지조차 확신할 수가 없었다.

"앞으로 배우게 될 테지만 미리 말하죠. 무엇이든 끝까지 의심하세요. 결코 함부로 짐작하지 마세요. 그게 두 분이 배우러 온 수사 기법의 기본입니다."

"아……."

싸늘하도록 냉정한 눈빛.

마치 철부지 망나니를 훈계하는 어른 같다.

정신이 번쩍 든 둘은 낯빛을 무겁게 굳히며 고개를 끄덕였고, 종혁은 그제야 활짝 웃었다.

"그럼 친목 도모를 할 겸 술이나 한잔하러 갈까요?"

남자 셋이 친해지는 데 술만큼 좋은 게 없다.

"오! 한국에도 보드카가 있습니까?!"

"맥주도 있어요."

"오오오! 술을 마실 줄 알군요, 동지!"

"잠깐, 종혁. 아직 해가 떠 있는데 마시자고?"

"응? 전에도 마셨잖아요, 낮술."

"잠깐?! 그, 그건 어떻게 안 거야!"

일본 경찰들의 위신을 짓뭉갰던 탈옥 사건.

종혁에 의해 놈이 내륙으로 도망친 걸 알게 된 것도 모자라, 검거도 종혁이 하자 부끄럽고 괴로워 술을 마셨다.

"음? 시라사기에서 같이 마셨잖아요."

시라사기. 일본판 한상원 사건을 해결한 후 무로이가 데려간 BAR이름이다.

탈옥한 범죄자에게 끔찍한 일을 당한 피해자의 아버지이자, 전직 사기 브로커가 일하던 곳.

종혁은 여기서 철수야 놀자 사건인, 후원사기 사건에 대해 한국인이 배워 갔다는 걸 알게 됐다.

"아? 아아아······!"

"아, 혹시?"

생각해 보니 탈옥수를 검거한 다음 날, 무로이는 꽤 초췌한 얼굴로 나타났다. 마치 숙취에 시달리는 듯한 얼굴로.

"자, 잠깐─!"

＊　＊　＊

웅성웅성.

폴리스 라인이 쳐진 한 주택 앞.

권순호 경사는 좀비가 따로 없는, 그것도 장렬히 산화하기 일보 직전인 무로이를 가리켰다.

"술이 약하더라고요."

"허약해, 무로이 동지."

"あなたがたが狂った(당신네들이 미친 거야)······."

피식 웃음을 흘린 권순호 경사는 어제 접수한 사건 파

일을 넘겼다.

"한번 훑어봐."

종혁은 두꺼운 사건 파일을 살폈다.

미하일과 무로이도 다가온다.

"연쇄 절도 사건이네요?"

"어. 그런데 귀신이 따로 없어. 족적이나 지문, 머리카락이 나오지 않아. 족흔만 겨우 있어."

빈집털이범.

무려 1년 사이에 관내에 똑같은 놈이 저지른 것 같은 사건이 15건이나 터졌다. 그런데 놈에 대한 뚜렷한 단서가 무엇 하나 발견되지 않았다.

그에 지푸라기라도 잡고 싶은 심정에 프로파일링수사과까지 사건이 넘어온 것이다.

"시그니처는요?"

시그니처.

계획적, 또는 습관적으로 나오는 행동을 의미했다.

"3페이지."

시그니처를 확인한 종혁은 고개를 끄덕였다. 그리곤 미하일과 무로이에게 사건 파일을 넘겼다.

그리고 두 사람이 다 훑어보자 질문을 던졌다.

"지금 거기서 판단할 수 있는 건?"

"대범하다?"

무로이의 말에 미하일이 고개를 끄덕인다.

"맞아. 심지어 너무 여유로워, 동지."

범인은 물건을 모두 훔친 뒤 마치 청소라도 하듯 여유롭게 자신의 흔적을 은폐했다.

꺼냈던 서랍을 다시 집어넣고, 보석함은 제자리에 돌려놓고.

그 모습에선 어떠한 초조함도 찾아볼 수 없었다.

이게 놈의 시그니처였다.

"또?"

"……."

어제 들은 충고 때문인지 말을 아낀다.

좋은 모습이다.

종혁은 따라오라 손짓하며 현장으로 들어갔다.

그리고 놈이 남기고, 과학수사대가 보강한 족흔을 쫓아 안방 장롱 앞에 섰다.

결혼 예물 등이 담긴 보석함이 있는 장롱.

놈은 여기부터 시작해 TV 서랍장, 화장대, 안방 서랍장 등 시계 반대 방향을 뒤진 후에야 작은 방으로 갔다.

그리고 마지막으로 거실을 뒤졌다.

심지어 거실은 다 뒤지지도 않았다. 마치 그럴 필요가 없다는 듯.

여기서도 여유가 가득 느껴졌다.

"알겠어?"

둘은 고개를 모로 기울였다. 그저 이놈이 더 대범하다는 확신만 가졌을 뿐이다.

"가장 돈이 되는 게 있는 곳부터 뒤졌잖아."

과학수사대와 권순호 경사가 정리한 화살표가 그걸 말해 준다.

"……어?"

경악한 무로이와 미하일이 다시 사건 파일을 훑었다. 그리고 이내 두 눈을 크게 떴다.

"미리 와서 탐색을 했다?"

"그럴 확률이 높지."

종혁은 따라온 권순호 경사를 봤다.

"가스검침원, 인터넷이나 유선TV 설치기사, 보험설계사 같은 걸로 위장했을 것 같은데, 어떻게 생각하세요?"

권순호 경사는 엄지를 치켜들었다.

"크. 역시 너도 나랑 같은 생각이구나?"

역시 종혁은 프로파일링수사과에 와야 했다.

"문제는 그때 어떻게 집 안을 뒤질 수 있었냐는 건데……."

설령 신분을 꾸며 집 안에 미리 들어와 볼 수 있었다고 해도, 값나가는 것들의 위치를 파악해 둔다는 건 쉬운 일이 아니다.

집에 아무도 없을 때 들어온 게 아니고서야 말이다.

잠시 생각을 정리한 권순호 경사는 얼른 핸드폰을 꺼냈다.

"예, 권순호입니다."

그는 형사에게 현재까지 내린 추측을 설명했다.

"혹시 집에서 그런 부류의 사람들을 만날 때 화장실을

가거나 주차 문제 등 때문에 잠깐이라도 자리를 비운 피해자가 있을까요? 아님 그게 아니라도 귀중품의 위치가 바뀌었다든가."

살다 보면 평소처럼 일을 보고 집에 들어왔는데 갑자기 위화감 같은 게 느껴질 때가 있다.

마치 누군가 왔다간 것 같은 위화감.

권순호는 그걸 말하고 있었다.

"중요한 거니 바로 확인 부탁드립니다."

잠시 후 형사가 어떻게 알았냐며 전화를 해 왔다.

모두 인터넷 설치기사나 보험설계사와 이야기를 나누던 중 주차 문제 혹은 유리창이 깨져 잠깐 자리를 비웠다고 한다.

종혁과 권순호는 서로를 바라봤다.

"최소 2인조네요."

"한 명은 바람잡이일 거고. 행동조는 아니야."

두 명이 교차 검증을 끝냈다면 다른 현장을 볼 필요도 없다. 어차피 다른 현장은 모두 수습되어 사건 파일로만 남았을 뿐이다.

고개를 끄덕인 종혁은 핸드폰을 들었다.

"예, 접니다. 원숭이 박상철 지금 뭐합니까? 좀 바꿔 주세요."

회귀 전, 종혁의 위를 드러내게 만든 원숭이 박상철.

빈집털이 잡범이었다가 강도살인범으로 변한 놈.

그동안 흥신소를 시켜 놈이 또 범죄를 저지르나 감시

중이었다.

잠시 후, 박상철이 떨떠름한 목소리로 전화를 받았다.

—씨발. 진짜 나 감시하네. 왜?!

"어떤 놈이 사전 답사 후 빈집을 털었어. 가장 돈이 되는 게 있는 곳부터. 머리털, 족적, 지문은 없고. 최소 2인조야."

—나 아니야! 나 손 씻었다고! 지금 눈 빠지게 용접하거든!

"알아. 너 아닌 거."

박상철의 시그니처와 다르다.

또 그는 독고다이다.

"그러니까 누굴 것 같아?"

원래 비슷한 놈들끼리는 서로 아는 법이다. 교도소에서 만나게 되니까.

—……최소 2인조면 육효종? 박병수?

종혁도 같은 생각이다.

이 정도로 치밀한 빈집털이 단체는 몇 명 없다.

아니, 애초부터 빈집털이를 하는데 단체로 움직이는 경우가 거의 없다.

"아, 그래? 그 새끼들 지금 어디 있냐?"

무로이와 미하일은 순식간 끝나 버린 사건에 입을 떡 벌렸다.

"이게 프로파일링 수사?"

"……미쳤군."

전율이 몸을 달린다.

'무조건 익혀야 된다!'

'더 많이 보내야 된다고 보고해야 돼!'

종혁은 그런 그들을 보며 피식 웃었다.

"내가 어제 말했잖아. 확신은 금물이라고. 놈들일지 아닐지는 아직 몰라."

"음?"

"대장님은 몇 퍼센트라고 생각하세요? 전 한 60퍼센트로 잡고 있는데."

범인이 잡히기 전까지 경찰은 절대 저놈이 범인일 거라 확신하면 안 된다.

이건 기본이다.

그래서 용의자란 말이 있는 거다.

"역시 종혁이 넌 짜네. 난 한 70퍼센트?"

권순호는 의아해하고 인정할 수 없다는 강렬한 눈빛을 짓는 무로이와 미하일의 모습에 역시 젊음이 좋다고 생각하며 입을 열었다.

"미디어의 발달 때문이야. 미디어가 보다 더 이런 사건을 상세하게 다루기 시작하면서 모방 범죄가……."

혹여 모방이 아니라도 참고가 된다.

이를 통해 범죄자들은 변수를 줄이고, 더 치밀해진다.

'이 외에도 여러 이유들 때문에 범죄 수법이 나날이 진화하는 거지. ……그런 거 할 대가리로 좋은 일은 못할망정.'

참 엿 같은 일이라며 중얼거린 종혁은 담배를 물었다.

"엄마! 경찰차, 경찰차!"

"그러네. 경찰차네. 우리 영우가 되고 싶은 게 뭐?"

"경찰차!"

'푸핫!'

경찰도 아닌 경찰차.

웃긴 말에 고개를 돌렸던 종혁은 눈을 동그랗게 떴다.

두 번까지가 우연이라면, 세 번째는 필연이다.

그래선지 작고 귀여운 남매의 손을 잡은 채 어딘가로 걷고 있는 여성의 모습이 더 아름답게 보이는지도 몰랐다.

"어? 아빠다! 아빠─!"

'남편이 있구나. 그런데 왜 그런 몸으로 일을?'

엄마의 손을 놓으며 후다닥 달려가는 두 남매.

양복을 입은 30대 초반 남성이 환하게 웃으며 두 남매를 양팔로 끌어안는다.

꺄르르 맑고 예쁜 웃음소리가 퍼진다.

하지만…….

'흡?!'

의문이 들어찬 눈으로 달리는 아이들을 좇다가 남자의 얼굴을 확인한 종혁은 경기를 일으키듯 반응했다.

어찌 저 얼굴을 잊을 수 있을까.

"왜 또 나왔어. 몸도 아픈 사람이."

"우리 멋진 오빠 1초라도 더 빨리 보려고요."

"하, 진짜 그놈의 고집은. 밥은 먹었어?"

'죄는 회개할 수 있다'라는 희대의 망언을 지껄인 인면 수심의 악마.

아내가 병으로 사망하자, 두 자식에게 약을 먹여 정신을 잃게 만든 후 영종대교에서 던져 버린 악마 중 악마.

영종대교 유아 투기 살인사건의 주범, 정천우.

왜 필연이 됐는지 알 것 같았다.

그런데…….

'뭐야, 이 다정한 모습은?'

* * *

21평 작은 맨션.

옅은 한약 냄새가 이희선의 코를 찔렀다.

그녀는 정천우의 재킷을 벗기며 물었다.

"콜록. 콜록. 오늘도 힘들었죠?"

한방병원 레지던트인 남편, 정천우.

"뭘. 애들 보느라 자기가 고생이지."

"피이. 애들 보는 게 뭐 힘들다고. 환자 치료하는 오빠가 더 힘들지. 콜록!"

"씁. 또 싸워?"

"알았어요. 물 받아 놨으니까 씻고 나와요. 밥 차릴게요."

톡톡 엉덩이를 두드린 이희선은 부엌으로 향했고, 그걸

빤히 바라보던 정천우는 팬티만 챙겨들고 화장실로 향했다.

"아빠, 영우도 목욕할래!"

"설이도 할래!"

정영우, 정희설.

정천우, 이희선의 이름 한 글자씩을 따서 지은 보물이다.

도도도!

달려온 아이들이 정천우의 다리에 매달렸다.

"쓉! 너희 아빠 힘들게 할 거야?"

"괜찮아. 놔둬."

"오빠가 계속 받아 주니까 애들이……."

"자, 그럼 아빠랑 목욕할까?"

"네!"

"우와아!"

아빠랑 목욕할 때가 아니면 놀 수 없는 욕조.

아이들은 뱀이 허물 벗듯 훌렁훌렁 옷을 벗었다.

풍덩풍덩!

"어푸어푸!"

"물 튀기지 말고 놀아."

"네─!"

욕조에서 노는 아이들을 빤히 바라보던 정천우는 샤워기를 틀어 몸을 적셨다.

그리고 다리와 어깨를 박박 문질렀다.

꾸벅꾸벅.

목욕 때문인지 아이들이 밥상머리에서 존다.

이희선은 깨우려 했지만, 만류하다 못해 작은 방에 눕힌 정천우는 숟가락을 들었다.

이희선이 불퉁한 표정을 짓는다.

"지금 재우면 안 되는데. 만날 나만 나쁜 엄마 만들고…….."

다 좋은 남편이지만, 이 부분은 불만이다.

정천우는 화제를 돌렸다.

"장인어른은 좀 어떠셔. 여전해?"

양가에서 극구 반대했는데도 강행한 결혼이다. 영우가 들어서지 않았다면 결혼을 못했을 거다.

영우 덕분에 친가는 용서를 했지만, 처가는 여전히 둘을 싫어했다.

"지원은 역시……."

"네……."

이희선은 어깨를 움츠리며 간신히 답했다.

이 집도 마련해 주고, 레지던트 월급이 얼마나 되겠냐며 매달 200만 원씩 지원을 해 주는 시댁.

그런데 시댁에서 주는 그 200만 원도 전부 정천우가 병원 의사들을 대접하는 데 써야 했기에 얼마 안 되는 월급만으로 살림을 꾸려야 했다.

한의사는 이래야 면허를 딴다니 어쩔 수가 없다.

빠듯하긴 해도 생활에 부족함은 없기에 불만은 없었지만…… 아무래도 친정에 섭섭함을 느꼈다.

괜히 시댁과 남편에게 눈치가 보여서 더.

모자란 며느리 같고, 부족한 부인 같아서.

매주 찾아오는 시어머니께 고개를 들 수가 없다.

"아, 곧 오빠 생일이잖아요. 콜록! 콜록!"

그녀는 애써 화제를 돌렸다.

"가, 가지고 싶은 거 있어요?"

"됐어. 미역국이나 끓여 줘. 그렇게 몸 아픈데 무슨."

"곧 봄이니까 양복은 어때요?"

"그럴 돈이 어디 있다고. 됐어."

'있는데!'

그녀가 비밀리에 불백집에서 아르바이트 하는 이유가 뭐던가. 모두 남편 정천우의 깜짝 생일 선물을 위해서다.

"아니면 오빠 좋아하는 경마장 놀러 갈까요?"

"경마?"

정천우의 눈썹이 꿈틀거린다.

이희선은 음흉하게 웃었다.

연애 시절엔 주말마다 들렀지만 결혼을 하자마자 딱 끊어 버린 경마장. 그래서 더 이 남자가 내 남편이고, 내 자식들의 아빠라고 생각했다.

"어흠흠. 요새 몸 많이 힘들지?"

얼굴이 빨개진 그는 부엌 식탁에 놓인 하얀 통을 들고 일어섰다. 그리고 냉장고에서 이온음료를 꺼내 들었다.

"으. 그거 싫은데."

"또 안 먹었지? 몸에 좋은 거니까 참고 먹어."

아내에게서 몸을 돌린 그는 통에서 꺼낸 가루와 물을 섞었다.

달그락, 달그락.

차가운 물이라 잘 개어지지도 않지만 그는 세심히 저어 녹였다.

그런데 그런 그 눈은 시리도록 차가웠다.

손에 묻은 가루도 재빨리 털어 냈다.

하지만 돌아서자 언제 그랬냐는 듯 따뜻한 호선을 그리는 눈.

"자, 쭉 들이켜."

'진짜 싫은데. 이거 먹은 후부터 몸이 더 아파진…….'

이희선은 화들짝 놀랐다.

이게 무슨 생각인가.

남편이 몸 생각해서 힘들게 구해다 준 영양제다. 그것도 목구멍이 좁아 알약을 잘 넘기지 못하는 자신을 위해 가루로 된 걸 구해 줬다.

그녀는 빤히 바라보는 남편의 눈에 눈을 질끈 감으며 단숨에 들이켰다.

"으으. 써."

"자, 여기 커피사탕."

"만날 커피사탕이야. 레몬사탕은 안 돼요?"

"레몬사탕은 약효를 방해할 수 있어서."

"그런 게 어디 있어."

입술을 삐죽 내민 그녀는 어쩔 수 없다는 듯 커피사탕

을 받아먹었다.

"아이, 예쁘다."

"히히. 정말 예뻐요? 오늘 셋째 만들까요?"

"……아이, 피곤하다."

"오빠. 오빠−! 정천우 거기 서라, 얍! 콜록콜록!"

그렇게 정겨운 저녁도 불이 꺼지며 막을 내렸다.

새벽 1시, 불이 꺼진 안방.

갑자기 눈을 뜬 정천우가 옆을 본다.

등을 돌린 아내 이희선이 고롱고롱 잠을 자고 있었다.

한 번 자면 누가 업어 가도 모르는 아내.

슬그머니 몸을 일으킨 그는 화장실로 들어가 팔뚝을 벅벅 씻었다. 저녁을 먹을 때 아이들의 몸이 닿았던 팔을, 가슴을.

물기를 닦은 그는 거실로 걸어가 TV 서랍장 아래에서 어떤 종이를 꺼냈다.

희미한 달빛이 종이의 글자를 비췄다.

총 3개의 생명보험.

피보험자: 이희선

보험수익자: 정천우

정천우의 눈과 입술이 기괴하게 뒤틀렸다.

* * *

"콜록, 오늘 늦어요?"

"오늘부터 당직이라 못 들어올 거야. 공업사에서 차 검진 끝났다니까 찾아다 놓고."

"히잉. 그럼 언제 와요?"

"……다녀올게."

"안녕히 다녀오세요!"

문 밖까지 나온 아들딸의 배꼽인사와 아내를 뒤로한 정천우는 도착한 엘리베이터에 오르다 멈칫했다.

안에 탄 맨션 주민이 음흉하게 웃는다.

"애가 둘이 있는데도 아주 깨가 쏟아지네. 부러워."

맨션의 유명한 수다쟁이. 다다다 말이 쏟아진다.

띵! 지이잉!

"그럼 수고해."

"예. 아주머니도 수고하세요."

돌아서자 웃던 얼굴이 메마르게 굳는다.

큰길까지 걸어 나온 정천우는 택시에 올라타며 가방에서 경마 잡지를 꺼내 들었다.

'이번엔 어떤 놈이 유력하려나.'

비록 저번 주 잡지지만, 이런 것들이 쌓여 데이터를 이룬다. 이게 그의 베팅 노하우였다.

띠리링!

핸드폰을 본 정천우의 얼굴이 활짝 폈다.

─오빠, 잘 잤어요?

"네, 효정 씨. 어젯밤엔 내 꿈 잘 꿨어요?"

'아이구. 연애하나 보네.'

흐뭇이 웃은 택시운전사는 조금 더 조심히 택시를 몰았다.

끼익!

"도착했습니다."

목적지에 도착한 택시를 내리는 그의 얼굴에 아쉬움이 서렸다.

"벌써 끊어야 할 때네요."

─히잉.

효정이 아쉬움 가득 앓는 소리를 내다 아차 했다.

─오빠, 엄마가 이혼은 언제할 거냐고 물어보던데…….

이혼.

정천우의 머릿속에 이희선의 얼굴이 떠올랐다.

20살 땐 참 예쁘고 아름다웠던 여자 친구, 지금의 아내.

하지만…….

"미안해요. 거의 다 설득해 가니까 조금만 기다려 줘요."

─그냥 지금 이혼하면 안 돼요? 난 얼른 결혼하고 싶은데! 혹시…….

효정의 목소리가 싸늘해지자 그는 얼른 변명을 했다.

"거머리처럼 독한 여자인 거 알잖아요. 애부터 가지고 우리 부모님 협박한 거 보면 모르겠어요?"

이희선이 들었다면 충격을 먹었을 말을 태연히 지껄이는 정천우에겐 효정을 향한 애정만 있었다.

하지만 늦은 것 같았다.

-천우 씨.

"우리 저녁에 데이트……."

-나나 엄마가 굳이 한의사를 선택한 건, 천우 씨가 마음에 들었기 때문이에요. 날 너무 기다리게 하지 말아요. ……끊을게요.

끊겨진 전화를 보는 정천우의 표정이 복잡해졌다.

자존심이 상하지만 미워할 수 없는 감정.

한숨을 쉰 그는 한방병원 안으로 들어갔다. 그리고 평소처럼 활짝 웃었다.

"좋은 아침입니다. 원장님은 출근하셨어요?"

"아, 그게……."

한숨을 쉰 간호사가 입을 열었다.

"어제 골프백 메고 제주도 가셨대요. 박 교수님까지도요."

"또요?"

결국 오늘도 레지던트에 불과한 그가 외래 진료를 봐야할 듯싶었다.

'아빠가 여긴 편하게 일할 거라고 해서 온 건데!'

확실히 편하게 일하기는 했다. 원장부터 병원에 얼굴을

잘 비추지 않으니 말이다.

이 병원은 레지던트 덕분에 굴러가고 있었다.

속으로 혀를 찬 그는 어쩔 수 없다는 듯 웃었다.

그렇게 원장이나 교수 없이 아침 회진을 돈 그는 진료실에 앉았다.

띠리링!

또 효정인가 싶어 핸드폰을 확인했던 그는 다른 전화번호에 의아해하다 아차 하며 얼른 전화를 받았다.

─여, 정 닥터.

고등학교 동창인 대학병원 내과의.

한의대 졸업하자마자 군대를 다녀온 그와 달리, 펠로우를 단 지금에야 군대에 갈 준비를 한다. 한 달 후에 입대다.

"건강 검진 결과는 나왔어?"

아내가 하도 아프다고 하기에 동창에게 맡긴 건강검진.

─천우야, 제수씨 병원에 입원시켜라.

"어머. 오늘도 정 선생님이 외래 보세요?"

"네, 그렇게 됐으니 세팅해 주세요."

─……수치들이 너무 높아. 듣고 있냐?

"어, 듣고 있어."

정천우는 간호사에게 손을 저었다.

달칵.

간호사가 문을 닫고 나가자 정천우는 표정이 싹 달라졌다.

그는 목에 건 십자가 목걸이를 꽉 잡았다. 마치 지금부터 하는 대화를 목걸이가 듣지 못하게 하려는 듯.

─진짜 얼른 입원시켜라. 이러다 진짜 제수씨 죽는다. 먹고 있다는 그것도 치워 버리고! 아니, 그걸 왜 먹어!

정천우의 눈이 빛나며 뒤틀렸다.

듣고 싶은 말을 들었다는 듯.

하지만 그 입은 표정과 달리 안타까움을 담는다.

"후우. 나도 그러고 싶다. 그런데 극소량으로 먹으면 몸에 좋다나 뭐라나……. 아무튼 결과는 우리 병원으로 보내 줘. 집으로 보내면 치워 버릴 수 있으니까. 보여 주고 억지로라도 입원시켜야지."

─아니! 남편이 한의사고, 남편 친구가 내과의사인데 왜 그런 이상한 개소리를! 이래서 사람은 겉만 봐선 몰라요, 몰라!

검진을 받으러 왔을 때 세상 순박해 천사처럼 보였던 그녀가 독이나 주워 먹는 사람일 줄은 생각도 못했다.

"어쩌겠어. 자격지심이 그렇게 독한데."

─차라리 성형을 하지! 아, 성형하면 몇 달 동안 못생겨지니까 안 한다고 했지?

"나도 괴로워 죽겠다. 의부증에 남편을 잡기 위해선 예뻐져야 한다고 그 지랄을 하는데…… 후. 그래도 어쩌겠냐. 미우나 고우나 내 아내고. 영우, 희설이 엄마인데."

─그래, 넌 꼭 천국 가라. 진짜 너 아니었으면 어쩔 뻔했냐.

아마 검진을 받지 않았거나 검진을 받았다 한들 결과를 숨겼을 거다. 아니, 이런 것도 몰랐을 확률이 컸다.

이희선이 이렇게 억지로라도 검사를 받으러 온 건 모두 정천우가 제발 친구에게라도 검진을 받아 봐라 설득했기 때문이라고 했다.

─내가 한계까지 군대를 미룬 게 다행이지.

"그래. 네가 군대에 아직 안 가서 다행이다. 안 그랬다 면…… 후우. 알았어. 군대 잘 다녀오고."

─그래. 고맙다. ……천우야, 이혼을 하는 것도 하나의 답이다. 너 아직 젊어.

"끊을게."

전화를 끊은 그는 입술을 비틀었다.

"그래, 젊지. 그래서 얼마나 고마운지 몰라. 네가 다음 달이면 군대에 간다는 게."

보통 군의관으로 가면 4년 복무이다.

모든 게 다 끝나다 못해 증거도 남지 않을 4년 후.

이래서 건강검진을 받게 한 거다. 증거를 남긴 거다.

'알리바이……'

그는 이 희열을 만끽하고자 담배를 물며 경마 잡지를 찾았다.

똑똑똑!

"선생님."

"……쯧. 네, 들여보내세요."

문이 열리자 평소처럼 푸근히 웃으며 환자를 맞이하던

정천우는 화들짝 놀랐다.

'외, 외국인?'

미하일, 무로이와 함께 이곳을 찾은 종혁은 그런 정천우를 보며 웃었다.

하지만 그 눈은 결코 웃지 않았다.

* * *

몸에 침이 꽂힌 미하일이 딱딱하게 굳었다. 무로이도 마찬가지다.

둘은 작은 원망을 담아 종혁을 바라봤다.

"여기는 천국이 아니라 지옥이야, 최 동지. 이건 고문이라고."

무로이도 일본어로 웅얼거렸다.

종혁은 둘을 보며 웃음을 겨우 참았다.

"쿄 형도 침 한 번 안 맞아 봤어요?"

"유사 의학에 내 몸을 맡길 수 없어서……."

"둘 다 몸에 힘 풀어요. 그럼 천국을 맛볼 테니까. 어으, 따뜻하다."

등 밑에 깔린 핫팩 때문에 몸이 노곤해진다.

그런 종혁은 빤히 바라보던 둘은 이내 한 번 믿어 보자며 몸에 힘을 풀었다.

그러자 뜨거운 기운이 올라오며 몸을 덥혔다.

'으흐음.'

분명 뜨겁지만 가만히 버티니 몸이 달아오른다. 아직은 서늘한 날씨라 경직된 근육이 풀린다.

코타츠처럼 몸의 일부분만 덥히는 것에 익숙한 무로이는 곧 적응했고, 미하일은 마치 보드카 한 잔을 마신 것처럼 머리끝까지 온기가 돌자 몸에 힘을 더 풀었다.

둘의 표정이 느슨하게 풀렸다.

그러나 천장을 보는 종혁은 달랐다. 그의 눈은 살짝 일그러져 있었다.

홍신소에 의뢰해 잠깐 조사해 보니 이렇게 다정한 남편이 없다. 아내와 자식들에겐 다정하고 훌륭한 남편이자 아버지고, 직장에선 책임감 있고 성실한 레지던트다.

여기에 매주 일요일마다 교회에 가는 절실한 기독교인이다.

그러며 주위에 교회에 나오라고 강요하지 않는다.

백 점 만점에 백 점짜리 남자다.

그래서 더 이해가 안 갔다. 실제로 그가 어떻게 환자를 대하는지 봐서 더.

조사 결과가 너무 이상해서 직접 얼굴을 보러 왔던 종혁은 친절 그 자체였던 그의 모습에 혼란스러웠다.

'저런 사람이 자기 자식을 다리 위에서 던진다고? 왜? 아내가 죽고 몇 달 사이에 무슨 일이 있었기에?'

회귀 전 경찰이 조사한 바에 따르면, 원래부터 토요일마다 경마장에 갈 만큼 경마를 좋아했던 그는 아내가 죽고 나자 일도 팽개치며 경마장에서 살게 된다.

여기까진 이해할 수 있다.

그토록 사랑하던 아내가 죽었으니까.

속도 말이 아니고, 일도 손에 잡히지 않았을 거다.

그런 이유로 망가져 끝내 범죄나 자살 등 돌이킬 수 없는 선택을 한 사람을 종혁은 많이 봤다.

삶을 비관해 자식들을 살해 후 자살을 하는 경우도 있다.

자기마저 죽으면 어린 자식들이 어떻게 살까 눈에 밟힌다는 개 같은 이유로.

실제로 정천우는 그런 이유를 들먹이며 자식들을 바다에 던졌다고 했다.

하지만 그게 아니란 건 나중에 밝혀졌다.

솔직히 이것도 범죄심리상담을 통해 밝혀낸 거지, 정천우는 끝까지 아니라고 잡아뗐다.

"돌겠네."

이유가 없다.

'설마…… 재혼? 이때 아내 말고 만나는 다른 여자가 있었나?'

이런 경우도 제법 흔하다.

가정에 충실하고, 직장에서도 성실한 백점짜리 남자가 알고 보니 불륜을 저지르고 있었다는.

이렇게 재혼할 때 가장 걸림돌은 아무래도 자식이다.

'하지만 죽이는 경우는 극히 드물어.'

제 손으로 자식을 죽이고 떳떳이 살 만큼 미친놈은 별

로 없거니와, 살인이다. 존속살인이면 선처를 받아도 15년이다.

재혼은커녕 인생이 날아간다.

그럼에도 군이 아이를 죽인 이유.

'솔직히 새벽에 던졌던 거라 그 목격자들이 없었다면 완전범죄가 됐을 확률이 있긴 한데…….'

이 시기에 네비게이션이 어디 있고, 블랙박스가 어디 있었나. 있다 한들 미래처럼 기본 옵션은 아니다.

그때도 목격자들 덕분에 정천우의 범행이 밝혀졌다.

핸드폰마저 집에 놓고 갔을 만큼 철저했던 놈이다.

이런 면모를 보면 재혼에 걸림돌이 된 자식들을 눈앞에서 치워 버리려 죽이려 했다는 가설을 세울 수도 있다.

혹여 나중에 자식들이 찾아올 수도 있고, 정천우의 부모가 찾을 수도 있으니.

하지만 섣부른 판단은 금물이다.

결과를 알고 있지만, 과정을 모르니 모든 각도에서 접근해 봐야 한다.

거기까지 생각하자 한 가지 의심이 들었다.

'이 새끼, 설마 아내도…….'

명확한 이유는 모르지만, 자식에게 약을 먹여 다리 위에서 던진 악마다.

합리적인 의심이었다.

'아니야. 아무리 악마래도…….'

종혁은 머리를 벅벅 긁었다.

"하아. 이 사이코패스 새끼. 진짜 이유를 모르겠네."

솔직히 이 정도는 사이코패스라 부를 수도 없지만, 그래도 미친놈임이 되는 건 확실하다.

"사이코패스?"

"최 동지, 그 도둑들을 말하는 거야?"

"응. 뭐……."

"침 뽑아 드릴게요."

"네, 부탁드립니다!"

말이 궁해졌던 종혁은 재빨리 대답했다.

침이 뽑히자 무로이와 미하일이 살겠단 표정을 지었다.

"전기치료 할게요. 엎드려 주세요. 아프면 말해 주시고요."

엎드린 무로이와 미하일을 찌릿찌릿 자극되는 느낌에 움찔움찔 몸을 떨었다. 그것도 곧 적응해서 나른하게 웃었다.

"아차. 종혁, 이것 좀 봐 줄래?"

무로이가 침대 밑에 놓은 가방에서 연습장을 꺼내어 내밀었다.

"놈들이 누굴 다음 대상으로 삼을지 예상해 봤거든."

아쉽게도 박상철이 말한 놈들은 그 시간대에 알리바이가 있었다. 교도소 수감 중이라는 알리바이가.

종혁이 아는 다른 놈들도 찾을 수 없거나 알리바이가 있었다.

종혁은 이 중 연락이 닿지 않은 놈들이 범인이지 않을까 의심했다.

연습장을 살피던 종혁은 살짝 놀랐다. 꽤 제법이었다.

"단체를 이룬 절도 범죄는 일본에도 제법 있어서. 또 이런 범죄는 대부분 연쇄라 수사를 시작할 때도 그쪽으로 열어 놓고 해."

무로이로선 부끄럽지만, 일본엔 연쇄살인이나 연쇄강도살인 사건이 많다.

이런 연쇄 살인이나 연쇄 절도는 인물, 장소, 시간 등 피해자에게 공통점이 있는 경우가 많다.

아직 범인이 특정되지 않은 사건의 경우에도 이러한 공통점들이 발견됐을 때 연쇄 사건이라고 추정할 수 있기도 하다.

그리고 이런 공통점들은 연쇄 사건의 범인을 쫓는 데 아주 중요한 단서가 된다.

종혁은 그런 그의 설명에 고개를 끄덕였다.

'이것도 프로파일링의 일환이지.'

"그래서 어제 놈들의 대상이 된 집의 가족 구성원도 살폈거든?"

"가족 구성원?"

종혁은 얼른 연습장을 봤다.

가족 구성원.

이는 간과했던 부분이었다.

"……어?"

종혁은 눈을 크게 뜨며 무로이를 봤다.

"의사?"

"응. 피해자 가족에 전부 의사가 있었어."

종혁의 표정이 다시 굳었다.

이건 절대 우연의 일치라고 보기 힘들었다.

범인은 범행 대상을 무작위가 아니라 작위적으로 선택한 게 분명했다. 시간을 들이더라도 한 번에 확실히 털기 위해.

'역시 쿄 형. 날카로워.'

"도움이…… 됐을까? 아닌 것 같다면 잊어 줘."

"아니요. 도움이 된 것 같아요."

종혁은 얼른 핸드폰을 꺼냈다.

"예, 대장님. 저 종혁인데요. 이번 사건에 새로운 견해가 나와서 연락드렸습니다."

한편 아르바이트를 마치고 공업사에서 차를 찾아 아이들 유치원으로 향하던 이희선은 갑자기 걸려온 전화를 허둥지둥 받았다.

"네, 네!"

-안녕하세요, 이희선 고객님. 저희 인터넷 쓰시죠?

"네! 그런데요? 아니, 이따가 전화 주시면 안 될까요? 운전 중이라서요!"

-네. 그럼 내일 인터넷 속도 점검 차 기사님이 방문할 텐데 괜찮으실까요?

"네, 네! 알겠습니다! 3시 반 넘어서 오실래요?!

3시에 유치원을 하교한 아이들을 받아 태권도 학원에 보내고 나면 얼추 그 시각이다.

―네, 알겠습니다! 그럼 그때 연락드리고 찾아뵐게요.

전화기 폴더를 닫아 보조석에 던진 그녀는 운전대에 몸을 붙이며 전방을 뚫어져라 쳐다봤다.

"앗! 여기서 좌회전해야 되는데!"

빠앙!

―운전 똑바로 안 하냐! 여자는 집에 가서 밥이나 해!

움찔!

"……히잉."

울상이 된 그녀는 더욱 집중했다.

시댁에서 결혼선물로 사 준 엄청 비싼 외제차.

긁히기라도 했다간 더 미안해서 고개를 들 수 없을 거다.

'오빠, 미워.'

이걸 집에 가져놓으라 시킨 남편이 미워지는 순간이다.

"깜빡이 켜고. 사이드 미러 보고."

그녀의 차는 느릿하게 목적지로 향했다.

* * *

'역시 사람이 늘어나니 이렇게 편하구나.'

무로이가 아니었다면 아마 더 깊게 생각하고 나서야 깨달았을 부분. 수사에 큰 진전이 생겼다.

"자, 그럼 다시 정리해 보자."

범인으로 추정되는 인물의 희미한 CCTV 사진을 가장 위에 놓인 채 온갖 글이 써진 화이트보드.

권순호 경사는 그걸 하나씩 짚으며 개요를 정리했다.

"범인은 범행 대상이 언제 집을 비울지 어떻게 알았지?"

무로이와 미하일이 바로 입을 연다.

"1박 2일 리조트 숙박권이나 연극, 뮤지컬 티켓."

이놈들은 놀랍게도 범행을 위해 투자까지 했다.

범행 대상이 자리를 비우기를 막연히 기다린 게 아니라 위장한 신분, 즉 보험 회사나 인터넷 회사 이름으로 티켓을 줘 버렸다. 쓰지 않고 버리기엔 너무나도 아까운 티켓을.

종혁과 권순호의 추리 덕분에 이 사실이 드러났다.

"자, 이제 그러면……."

"범행들이 일어난 용산구 일대에 거주하고 있는 의사들 리스트를 뽑으면 되겠네요."

그리고 혹시나 이미 놈들의 손길이 뻗어, 최근 보험설계사나 인터넷 설치기사에게 티켓을 받은 사람이 얻는지 찾으면 된다.

범위가 확 줄여졌다.

권수호 경사는 핸드폰을 들었다.

"예, 프로파일링수사과 권수호 경사입니다. 놈들의 다

음 범행 대상을 추론했기에 연락드렸습니다."

*　*　*

　수사는 급물살을 탔다.

　놈들의 다음 범행 대상이 누군지 추려진 이상 이제 잡는 건 시간문제다.

　하지만…….

　"프로파일링이 있다고 해도 결국 발로 뛰어야 하는군."

　약간 실망하는 미하일의 모습에 종혁은 씁쓸히 웃었다.

　"이건 수사 기법이 아니라 제도적인 문제니까."

　전화라도 쭉 돌리면 범죄를 예방할 수 있겠지만, 용산구에 거주하고 있는 모든 의사들의 개인 정보를 넘겨받기란 무리가 있었다.

　종혁과 권수호는 확신했지만, 확실한 증거가 없는 이상 그들의 추리는 여전히 추론에 불과했으니까.

　'확 씨. 그냥 국정원에 연락해?'

　그들이라면 전화번호를 뽑아 줄 수도 있을 거다.

　갈등하던 종혁은 고개를 저었다.

　"일단 여기까지나마 범위를 좁힌 걸 다행으로 여겨야죠 뭐."

　"알았어, 동지. 흠. 그런데 여긴 며칠 전에 사건이 일어난……."

"아, 맞네. 그 동네."

'딴 데 갈까?'

제아무리 간 큰 놈이라도 털었던 동네를 며칠 만에 또 털진 않는다. 하지만 백 퍼센트는 아니라서 종혁은 주변을 훑으며 느릿하게 걸었다.

"음? 최 동지, 저기."

"응? 뭐가……. 하."

세 번째가 필연이라면, 네 번째는 대체 뭘까.

"누가! 어떤 나쁜 사람이! 오빠 차를! 콜록, 콜록!"

옆 유리가 깨진 차를 보고 방방 뛰는 여인.

"어? 겨, 경찰 아저씨! 여기요! 여기예요!"

종혁은 이쪽을 보며 손을 흔드는 여성 이희선의 모습에 의아해했다.

'아, 맞아. 나 지금 정복이지.'

순간 종혁은 눈을 빛냈다.

'잠깐, 이거?'

방금까지 이야기하던 것과 아주 흡사한 장면.

종혁은 귀신에 홀린 듯 그녀에게 다가갔다.

"예, 신고하셨죠?"

"네! 그런데 진짜 빨리…… 아."

종혁은 갑자기 휘청이는 그녀를 재빨리 부축했다.

"쿨럭, 쿨럭! 웨엑!"

"이봐요! 괜찮으세요?!"

심장을 두드리며 괴로워하던 그녀는 하얗게 질린 얼굴

로 고개를 끄덕였다.

"아, 네. 제가 몸이 안 좋아서요…… 아무튼!"

마치 일상이라는 것처럼 대수롭지 않게 넘긴 그녀는 상황을 설명했지만, 종혁은 그녀가 신경 쓰일 수밖에 없었다.

그러다 그는 주먹을 불끈 쥐었다.

갑작스런 차량 파손.

주위를 둘러본 종혁은 조심스럽게 물었다.

"혹시…… 댁에 혼자 계시나요?"

"네? 아, 아뇨. 인터넷 속도를 점검하러 오신 기사님이랑 같이 있는데…… 그건 왜요?"

의아해하는 그녀.

종혁은 왜 홀린 듯 그녀에게 다가섰는지 깨달을 수 있었다.

"아무것도 아닙니다. 그럼 차에 블랙박스가 설치되어…… 있지 않네요."

"블랙박스?"

"아무것도 아닙니다. 일단 사건을 접수하고 주위 CCTV를 뒤져 볼 테니 신고자분 성함과 주민등록번호, 주소 좀 알려 주실 수 있겠습니까?"

"아, 네!"

개인 정보를 순순히 말한 그녀는 꼭 부탁한다고 고개 숙여 부탁하곤 맨션으로 올라갔고, 종혁은 그녀의 등을 빤히 응시하다 돌아섰다.

'역시 안 좋아.'

좋지 못한 낯빛과 잦은 마른기침.

입안에서도 치약 냄새와 함께 묘한 냄새가 난다.

이 외에도 그녀의 몸이 정상이 아니라는 신호가 가득하다.

'이런데도 의사 남편이 가만둔다고?'

"최 동지."

종혁은 여성에게서 시선을 거두며 뭔가 말하려는 미하일을 멈춰 세웠다.

"쉿. 우릴 보고 있어. 일단 내 차로 가자."

돌아선 그는 용산 파출소에 전화를 걸었다.

"예, 수고하십니다. 방금 신고 접수된 파크맨션 차량 파손 사건 때문에 연락드렸는데요."

한편 그녀의 집 안.

안경을 낀 평범한 인상의 수리 기사가 문을 열고 들어오는 그녀를 맞이한다.

"정말 감사해요. 기사님 아니었다면 누가 오빠 차에 돌을 던졌는지도 몰랐을 거예요."

삐용삐용 경보음 소리에 댁의 차일 수도 있으니 확인해 보라고 말한 수리 기사가 별거 아니라는 듯 손을 젓는다.

"점검 모두 끝나셨고요. 이제 인터넷을 본래 속도로 이용하실 수 있을 거예요."

"그, 그럼 우리 애들 동화도 막 빠르게 나오는 거죠?"

"네? 아, 네. 그럼요. 아차. 사모님 저희 인터넷에서 우수 이용 고객을 선별해서 선물을 드리고 있는데……."

그녀의 눈이 동그래졌다.

지금 가장 유명한 뮤지컬 1인 동반 티켓이다. 비싸서 갈 엄두도 못 내는 뮤지컬.

"쉿! 아시죠?"

입을 틀어막으며 고개를 끄덕인 그녀는 정천우에게 전화를 걸기 위해 핸드폰을 꺼내 들었고, 모자를 고쳐 쓴 수리 기사는 집을 나섰다.

마스크까지 쓴 그는 계단을 향해 걸음을 옮겼다.

"여자가 외제차를 끌기에 따라와 봤더니……."

결혼 예물과 돌 반지 등 귀금속이 한가득이다.

집안에 한의학 서적이 있는 걸 보면 남편은 한의사.

우연도 이런 우연일 수 없다.

맨션 입구나 근처에 CCTV도 없다. 여태까지처럼.

있어 봤자 저런 화재감지기뿐이다.

입술을 비튼 그는 핸드폰을 들며 맨션을 빠져나갔다.

"어, 지금 어디야?"

입구 바로 옆에 세워진 차 안에 종혁이 있는 줄도 모르고.

둘은 그가 사라지자 뒤로 젖혔던 의자를 세웠다.

"지금 검거하지 않는 거야?"

"증거가 없으니까."

맨션 건물 입구를 향해 있던 블랙박스를 뜯어내 살피던

종혁이 고개를 끄덕이며 미하일에게 보여 줬다.

모자와 마스크를 썼지만, 얼굴 윤곽이 제법 잘 보인다. 그가 아는 베테랑 형사라면 이것만으로도 잡을 수 있을 정도다.

"한국은 정말 놀라워."

들기로 러시아보다 못살았던 나라였다는데, 러시아에도 없는 물건들이 만들어진다.

또 높은 빌딩과 깨끗한 거리는 어떻던가.

"일단 나머지도 수거하자."

차문을 열고 나온 종혁은 엘리베이터 버튼을 눌렀다.

혹여 지문이 겹쳐질까 박박 닦아 놓았던 1층 버튼에서 지문을 채취하던 종혁은 혀를 찼다.

"이 새끼 계단으로 내려왔네."

역시 치밀한 놈이다. 아마 계단을 뒤져도 유의미한 지문이나 머리카락 등은 습득하지 못할 거다.

그래도 상관없다.

띠잉! 스르릉!

이희선의 집이 있는 층에 도착한 그는 맞은편 집 앞에 놔둔 작은 택배 박스를 집어 들며 전화를 걸었다.

귀퉁이에 작은 구멍이 뚫린 박스.

"예, 대장님. 지금 유력한 용의자의 얼굴을 땄는데요. 어디세요?"

이희선의 집을 빤히 바라보던 종혁은 다시 엘리베이터에 올랐다. 종혁은 일단 여기에 신경 쓰기로 했다.

미하일은 종혁이 대체 왜 이런 걸 가지고 다니는 건지 의문이었지만, 덕분에 유력한 용의자의 얼굴을 확보할 수 있어서 넘기기로 했다.

*　*　*

예쁘게 차려입은 이희선이 콧노래를 흥얼거린다.

"그렇게 좋아?"

"오랜만에 오빠랑 단둘이 보는 뮤지컬인걸요!"

이게 대체 몇 년 만일까.

결혼 하고 처음 가는 뮤지컬 관람이었다.

애들을 이미 시댁에 맡겨 놓은 상황.

그녀는 하늘을 날 것만 같았다.

하지만 그런 그녀를 바라보는 정천우의 생각은 달랐다.

'쯧. 알리바이만 아니라면.'

가정과 아내에게 정말 충실했다는 알리바이.

속으로 혀를 찬 그는 입을 열었다.

"그럼 갈까?"

그녀는 대답 대신 냉큼 정천우의 팔짱을 꼈고, 움찔했던 정천우는 이내 평소처럼 다정히 웃으며 집을 나섰다.

딸각.

불이 꺼졌다.

그렇게 약간의 시간이 흐른 후.

드르륵!

현관 열쇠가 돌아가며 문이 열리며 파마할 때 쓰는 캡 같은 걸로 신발을 감싼 남성이 들어온다.

모자를 깊숙이 눌러쓰고 마스크에 장갑까지 낀 사내는 곧바로 안방으로 향하여 서랍장의 두 번째 서랍을 열었다.

커다란 보석함이 그의 망막에 맺힌다.

"흐흐."

그는 챙겨 온 가방에 보석함을 집어넣고는 화장대로 향했다.

달그락, 달그락.

안방부터 작은방까지 모두 훑은 그는 거실에 서서 핸드폰을 들었다.

'역시 자식들은 없군.'

노린 일이라 웃음만 나온다.

자식들의 연령대를 확인한 후 선물로 줄 티켓의 종류를 달리했던 그.

"어, 난데. 차 시동 걸어 놔. 바로 출발하게."

전화를 끊은 그는 현관문을 잡고 문을 열었다. 마치 자기 집을 나서듯 자연스럽게.

그런데.

"어?"

웬 30대 사내가 서 있다. 아니, 사내들이다.

죄다 험상궂은 인상들.

"이런 씨?!"

"안녕하세요. 정말 보고 싶었습니다!"

빠아악!

턱을 얻어맞은 그는 정신을 잃으며 신발장을 굴렀다.

"헉, 헉!"

도둑이 들었단 전화에 뮤지컬을 보다 말고 달려온 정천우는 집 현관에 쳐진 폴리스라인에 파랗게 질렸다.

'안 돼! 그게 들키면 안 돼!'

"정천우 씨 되십……."

"비켜!"

"억?!"

경찰을 밀치며 안으로 들어온 정천우는 부엌 식탁에 놓은 하얀 통을 발견하고 나서야 안도의 한숨을 내쉴 수 있었다.

그러다.

"……아."

거실에 있던 형사들이 모두 그를 멍하니 보고 있다.

누가 봐도 정상이 아닌 반응.

"오빠!"

"……여보!"

"이, 이게……."

웬 남자들이 소중한 보금자리를 뭉개고 있다.

이희선의 얼굴은 하얗게 질릴 수밖에 없었다.

"일단 나가자. 형사님들 수사하실 수 있게……."

"으응."

"아, 그러실 필요 없습니다."

용산 경찰서 형사 4팀의 반장이 둘에게 다가서며 패물들을 보여 준다.

거실 한편에 선 종혁이 그런 그녀를 본다.

"애, 애들 돌 반지!"

마치 세상 가장 소중한 보물을 찾는 듯 눈을 뒤집으며 살피다 1돈 금반지 두 개를 들고 감사합니다 연신 고개를 숙이는 그녀. 그제야 콜록콜록 기침이 터진다.

그리고 정천우는 그런 이희선의 어깨를 두드리며 다독이고, 그런 정천우를 보는 종혁의 눈빛이 차갑다.

'집 안에…….'

"최 동지."

"쉿."

"……."

"일단 나가자."

종혁은 반장의 손에 이끌려 안방으로 향하는 둘을 보며 맨션을 빠져나갔다.

탁! 치익!

혼란한 얼굴을 한 미하일의 입에서 뿌연 담배 연기가 흩어졌다.

그는 한 번 더 생각을 하곤 입을 열었다.

"……집 안에 약이 거의 없더군."

그렇게 아파 보이는데 집에 있는 약이라곤 알약이 하나씩만 든 약 봉지뿐이다. 가벼운 감기라도 약을 두 개, 세 개 처방받는데 하나뿐이었다.

이건 뭔가 이상했다.

더 의심스러운 건 그녀의 신체에서 나타난 반응이다.

미하일은 그게 어떨 때 일어나는 반응인지 알고 있었다.

"최 동지, 이거…… 음?!"

미하일은 종혁이 내민 약봉지와 하얀 가루가 담긴 작은 봉지를 보며 눈을 크게 떴다.

"그걸 언제?"

"아까."

이미 의심하고 있던 상황에서 약이 하나씩만 든 약봉지를 발견했다. 거기에 마치 비타민통 같은 것에 정체불명의 가루가 있었다.

종혁은 핸드폰을 들었다.

"네, 팀장님. 저 종혁인데요."

국정원 팀장. 종혁은 그에게 전화를 걸었다.

지금 머릿속을 강하게 흔드는 예상이 맞다면 하루, 아니 단 1분 1초라도 급한 상황이다.

국과수는 너무 늦다.

"성분 분석을 좀 부탁할까 하는데 가능할까요?"

종혁은 이를 악물었다.

그리고 그로부터 2시간이 지난 후.

-최 생도. 하나는 기침약인데, 다른 건…… 허 이게 왜 다른 가루랑 섞여 있지?

　예상이 맞았다. 혹시나는 역시나가 되었다.

　'빈집털이를 당한 게 다행이라고 해야 할지, 아니라 해야 할지.'

　종혁은 맨션을 올려다보며 이를 갈았다.

　까드득!

　"미하일, 소리 없는 암살자라고?"

　"……우리 러시아에선 그렇게 불리지."

　누군가가 정말 싫을 때 먹이는 독약.

　쉽게 구할 수 있으면서도 효과가 확실한 독약.

　극소량으로 천천히 장복시키면 딱 이희선처럼 시달리다 죽기에 부검을 해 보지 않은 이상 알 수조차 없다.

　옆집 할아버지가 그렇게 시달리다 죽었기에 미하일도 의심했던 거다.

　하지만 원래 쓰이는 용도는 다르다.

　"그리고 이것의 원래 이름은……."

　"알아."

　종혁은 이가 부셔져라 악물었다.

　"쥐약."

　얼마 전, 이희선의 입에서 맡았던 희미한 냄새.

　그건 쥐약을 먹고 사망한 사람의 그것과 비슷했다.

　즉, 정천우는 명백한 살인의지를 가진 채 살해 행각을 저지르고 있었다.

그것도 아내를 대상으로.

두 자식을 영종대교에서 던져 죽이며 '죄는 회개할 수 있다'라는 희대의 망언을 지껄인 악마가 아내마저 죽였던 것이다.

종혁의 눈이 살의를 머금기 시작했다.

* * *

딱, 딱, 딱!

오늘따라 더 조용한 프로파일링수사과의 화이트보드에 몇 장의 사진이 붙는다.

"이름 이희선. 나이 26세. 1남 1녀 중 막내로, 회사원인 아버지와 전업주부인 어머니가 있습니다. 교우 관계는 원만, 주변 탐문 결과 남편에게 헌신하는 아내로 칭송이 자자합니다. 그리고……."

이를 악물며 브리핑하던 종혁이 눈을 질끈 감는다. 종혁이 할 말을 알아차린 무로이와 미하일도 마찬가지다.

"현재 쥐약에 중독되어 죽어 가고 있습니다."

까드득!

이 가는 소리가 울린다.

살의가 공간을 가득 채운다.

숨을 고른 종혁은 정천우의 사진을 가리켰다.

권순호 경사가 손을 들어 브리핑을 막았다.

"됐어, 그 새끼는 넘어가자."

종혁은 마지막 인물 사진을 가리켰다.

"이름 이효정. 나이 25세. 강남에 빌딩 2채를 가진 어머니와 함께 살고 있는데, 아버지는 17살 때 사망……."

"이것도 됐어."

화이트보드에 다 적혀 있다.

굳이 들어서 귀까지 더럽히고 싶지 않았다.

"그러니까 돈 많은 불륜녀와 결혼하기 위해 아내를 죽이고 있다는 거잖아? 병원을 개원하기 위해?"

"아무래도 그런 이유로 불륜을 저지르고 있지 않나 싶습니다."

확신은 아니지만 정황이 그렇다.

아내 보다 젊고, 자산까지 대단한 불륜녀.

반면 평범한 회사원을 아버지로 둔 아내.

그리고 곧 개원 자격을 얻는 전문의가 되는 정천우.

척하면 착이다.

형사로서 많이 보아 온 불륜 사건 케이스다.

하지만…….

"이거 증명할 수 있겠어?"

정천우가 불륜을 저질렀다는 증거, 아내를 살해하려 했다는 확실한 직접 증거가 부족했다.

정천우가 정말 영양제인 줄 알았다며 발뺌을 한다면 살인미수가 아닌, 과실치상죄로 처벌이 끝날 가능성도 약간이나마 존재했다.

일말이나마 그러한 가능성이 남겨져 있어서는 안 됐다.

이 끔찍한 악마는 반드시 자신이 저지른 죗값을 톡톡히 치러야만 했다.

권순호는 그 부분을 짚고 있었다.

"그건 일단…… 피해자 목숨부터 구하고 알아봐야죠."

"음?"

종혁은 전화기를 들었다.

"예. 거기 도착했죠? 그럼 내가 말한 차의 사이드미러를 부숴 버리세요."

정천우가 타고 다니는 차량의 사이드미러 파손.

이번 수사는 여기서부터 시작이다.

* * *

토요일, 이희선은 급한 환자가 생겼다는 남편 대신 서비스센터에 도착했다.

사이드미러가 파손되자 수리 기간 동안 타고 다니시라며 센터에서 렌트해 줬던 차를 몰고 온 그녀는 한숨을 폭 내쉬었다.

한 달 사이에 차가 두 번이나 파손됐다.

"보험료 오를 텐데."

남편이 말하길 차를 자주 수리하게 되면 보험료가 오른다고 했다. 빠듯한 살림에 고정 지출이 몇 만 원 추가될 걸 생각하니 가슴이 답답했다.

"콜록, 콜록."

또각또각!

서비스센터를 내려오는 여성의 모습이 화인처럼 망막을 파고든다. 백옥같이 하얀 피부에 온몸을 명품으로 치장한 젊은, 아니 어린 여성.

마치 홀린 듯 이희선의 시선이 그녀를 좇아 움직였다.

"수고했어요. 여기 팁."

"헛! 안녕히 가십시오!"

수표와 차키를 맞교환한 여성이 남편이랑 똑같은 외제차를 몰고 사라졌다.

마치 딴 세상에 사는 것 같은 어린 여성.

순간 울컥한다.

'저 사람은 나처럼 보험료, 돈 걱정 안 하겠지?'

아웃렛에서 싸게 샀다고 기뻐했던 만오천 원짜리 저가 명품 티셔츠가 갑자기 후줄근하게 느껴졌다. 갑자기 삶이 초라해지고, 몸마저 아프니 내가 왜 이 어린 나이에 이렇게 살고 있나 우울해졌다.

"엄마! 자동차다, 자동차야!"

"엄마, 이상한 냄새 나."

세상에서 가장 소중한 보물. 영우와 희설.

두 아이의 해맑은 목소리에 시선을 돌린 이희선에 입가에 미소가 떠올랐다.

'그래. 내가 너희 때문에 산다, 살아.'

"우리 영우, 설이. 이쁜 짓!"

"이쁜 짓!"

양볼에 검지를 대고 배시시 웃는 아이들처럼 배시시 웃은 그녀는 서비스센터로 향했다.

하지만 온통 대리석인 프런트에 들어서자 어깨가 움츠러든다.

남편이 일이 있어 차를 찾기 힘들 때 몇 번 와 본 곳이지만 여전히 이런 곳은 낯설다. 직원 말곤 아무도 없어서 더 그랬다.

"안녕하세요, 고객님!"

"안녕하세요. 영우, 설이 인사."

"안녕하쩨요!"

"어머, 귀여워라. 안녕? 아이들이 너무 귀엽고 예뻐요!"

자식이 예쁘다는데 싫어할 부모가 어디 있을까.

이희선의 어깨가 솟았다.

"차 반납하고, 차 찾으러 왔는데요."

"네. 차량 번호가 어떻게 되시죠?"

이희선은 차량 번호를 말했고, 프런트 여직원은 깜짝 놀랐다.

"축하드려요, 고객님!"

"네?"

"이벤트에 당첨되셨어요!"

"이, 이벤트요?"

"저희 센터를 이용한 만 번째 고객님부터 만 일곱 번째 고객님까지 무료로 블랙박스를 설치해 드리는 이벤트를 진행하고 있거든요!"

이희선은 눈을 동그랗게 떴다.

'내, 내가 당첨을?'

주위에서 듣기만 했던 이벤트 당첨.

그녀는 당혹스러우면서도 행복했다.

"지금 바로 설치해 드릴까요?"

"자, 잠시만요!"

그녀는 얼른 핸드폰을 꺼내 정천우에게 전화를 걸었다.

"아이 참. 왜 이렇게 안 받아."

몇 번 더 전화를 건 그녀는 활짝 웃었다.

─여보세요?

시끌시끌. 왁자지껄.

"오빠!"

─응. 무슨 일이야?

이희선은 얼른 사정을 설명했고, 정천우는 화들짝 놀랐다.

'얘가 이런 운이 있었어?'

이 당시에는 흔치 않던 블랙박스.

이게 필요한가 싶어서 설치하지 않았는데, 공짜로 설치할 수 있다면 당연히 환영이었다.

─정말? 어, 설치해. 얼른 설치해 달라고 해.

"네! ……그런데 왜 이렇게 시끄러워요?"

─아, 잠깐 뭐 사러 나와서 그래. 그럼 그만 끊을게.

"잠시만요, 아버님!"

여직원이 얼른 핸드폰을 넘겨받으며 입을 열었다.

"저희가 무료로 증정 이벤트를 해 드리는 거지만, 혹여 법적인 문제가 생길 경우가 있어서 녹음을 하고 있어요. 괜찮으신가요?"

—예? 음…….

와아아!

왜인지 함성 소리가 희미하게 들린다.

—예. 동의할 테니까 그렇게 해 주세요!

"아니요! 동의하셔야 할 부분이 더…….

—전 뭐든 일단 다 동의하고, 나머진 아내에게 말하세요. 끊습니다.

전화가 끊긴 핸드폰을 황망하게 응시하던 여직원이 이희선을 쳐다봤다.

"오, 오빠가 많이 바쁜가 봐요."

이희선은 어색하게 웃으며 핸드폰을 가져왔고, 표정을 수습한 여직원은 아래서 블랙박스와 녹음기를 꺼냈다.

"방금 전 남편 분께도 동의하셨지만, 혹여 법적인 문제가 생길 경우가 있어서 녹음을 하고 있어요. 괜찮으신가요?"

"네!"

약간 꺼림칙했지만 정천우도 동의를 했기에 이희선은 안심하며 고개를 끄덕였다.

그러며 블랙박스를 빤히 바라봤다.

활짝 웃은 여직원은 발랄하게 말했다.

"지금부터 말하는 모든 내용은 법적인 증거가 된다는 걸 명시합니다. 인정하시나요?"

"네!"

"지금부터 녹화되는 모든 것들은 법적으로 쓰일 수 있으며, 혹여 기기 결함 등의 이유로 녹화되지 않은 부분에 대해선 저희 측의 책임은 없습니다. 인정하시나요?"

블랙박스를 두드리는 여직원의 손을 본 이희선은 고개를 끄덕였다.

"네."

"그리고……."

여직원은 이희선을 진지하게 응시했다.

"법적인 문제가 생길 시 언제든 협조해 주실 건가요?"

"네? 아, 네!"

"네, 확인되셨습니다. ……아차."

여직원은 아래에서 커다란 약통과 까만 사탕이 가득 담긴 유리병을 꺼냈다.

"이것도 증정해 드린다는 걸 깜빡했네요."

여직원은 이희선을 향해 몸을 기울였다.

"이게 여자에게 정말 좋은 거거든요."

깜짝 놀란 이희선이 그녀를 본다.

"거기다 여자에게 참 좋은데 어디에 좋다고 말은 할 수 없고…… 고객님은 제 말이 뭔지 아시죠? 같은 여자잖아요."

순간 얼굴이 발그레해진 이희선이 작게 고개를 주억였다.

세상이 많이 변했다지만 아직은 부끄러운 이야기다.

그 순간 그녀의 머릿속에 방금 전 스쳐 지나갔던 여성이 떠오른다. 뽀얗고 하얀 피부를 명품으로 치장한 어린 여성.

"호, 혹시 피부도 좋아지나요?"

"그건 기본이죠."

"아."

"알약 형태로 드실 수 있는 것과 사탕처럼 드실 수 있는데 어떤 걸로 드릴까요?"

"사, 사탕이요? 이런 게 사탕으로도 나와요?"

"애들 키 크는 약도 젤리로 나오는데요 뭘. 그리고 여자가 집에서 약 같은 거 먹으면 남자들이 싫어하잖아요."

흠칫!

'알약이면 오빠가 싫어할 거야.'

기침약을 처방받았을 때도 왜 말하지 않고 병원에 갔냐며 방방 뛰던 남편이다.

"참고로 사탕은 커피맛이에요."

그게 결정타였다.

"사탕으로 주세요."

"네에."

다 안다는 듯 웃은 그녀는 사탕이 가득 담긴 유리병까지 종이백에 담아 내밀었다.

"그럼 가실까요? 차까지 안내해 드릴게요."

"네!"

밖으로 나오니 렌트한 차에 달아 놓았던 애들용 카시트가 원래 차로 옮겨진다.

"그런데 애들이 참 예뻐요. 아드님이 아빠 닮았나 봐요."

"헤헷. 정말 그렇게 보이세요?"

"그럼요. 그리고 애들이 구김살이 없는 게 아빠가 엄청 잘해 주나 봐요."

부러움이 서린 눈에 이희선의 콧대가 으쓱인다.

"제가 제 남편이라서 하는 말이 아닌데, 애들 아빠가 진짜 잘해 줘요. 퇴근하면 막 놀아 주고, 만날 목욕도 같이해 주고!"

"어머머, 정말요? 와, 남자가요?"

"그럼요. 그치, 영우야? 아빠가 막 같이 목욕해 주지?"

"아닌데. 아빠 우리랑 목욕 안 하는데."

"으응?"

"아빠 이제 어푸아푸 같이 안 하는데…… 그치?"

"응."

이희선의 눈이 크게 흔들린다.

"호, 호호호. 어제도 했잖아! 왜 그래."

"블랙박스까지 설치 다 됐습니다. 차키 여기 있습니다."

"네, 네! 어, 얼른 타자! 안녕히 계세요!"

"언니 빠빠—!"

당황한 이희선은 얼른 애들을 태우고 떠났고, 숙였던 허리를 편 여직원은 미간을 좁힌다.

뚜벅뚜벅.

그녀의 등 뒤에서 긴 머리카락들이 담긴 투명 봉투를 든 종혁이 다가와 옆에 섰다. 권순호 경사나 미하일 등은 프런트에서 무언가를 떼어 내고 있었다.

"……후아! 나 잘했어?"

종혁은 엄지를 치켜들었다.

"배우 하셔도 되겠던데요, 선배님?"

"흐히히. 그래?"

선배, 현재 소년계에서 근무하는 이하나.

4인조 망치 삥치기 사건 때 중부서 상황통제실에서 혁혁한 공을 올렸던 그녀는 종혁에게 진 빚을 갚고자 그의 부탁에 흔쾌히 응했다. 내막을 듣곤 전력을 다해 협력했다.

"……너도 들었지?"

방금 전 영우가 했던 말.

편견이 생겨서 그런지 마치 자식에게 정을 뗀 모습처럼 보여 더 화가 났다.

"듣다 뿐일까요."

이희선이 프런트에 들어오는 모습부터 모두 CCTV로 지켜봤다.

이하나와 대화를 하면서도 그녀의 시선은 언제나 아들

딸에게 머물러 있었다.

"제발 그 개새끼 찢어 죽여 줘. 어떻게 저런 조강지처
를⋯⋯."

으드득!

그녀의 몸에서 살의가 뿜어져 나온다.

종혁은 담배를 물었다.

"당연하죠."

그러기 위해 준 사탕, 아니 쥐약 해독제와 비타민K3
등 몸에 좋은 걸 버무린 뒤 커피향을 입혀 만든 사탕이
다.

그것이 죽어 가는 그녀의 몸을 정상으로 되돌릴 거다.

나탈리아에게 구한 해독제이니 쥐약을 한꺼번에 치사
량만큼 섭취하지 않는 이상 이희선이 죽을 염려는 없었
다.

혹여 아이들이 섭취해도 이상은커녕 오히려 몸에 좋을
거라 했기에 그런 상황이 생겨도 안심이다.

'쥐약이 담긴 통 옆에 놓여 있던 커피맛 사탕 봉지.'

분명 쥐약의 쓴맛을 가리기 위해 가져다 놓은 사탕일
거다. 아이들 간식과 따로 놓여 있었으니 거의 백 퍼센트
다.

'개새끼!'

이제 남은 건 정천우가 차 안에서 혼잣말이건 전화건
범죄에 관련된 말을 지껄이는 걸 기다리는 것뿐이다.

정천우는 뭐든지 동의를 한다는 바보 같은 말을 한 것

도 모자라, 자신의 권리를 아내에게 양도까지 했다.

법적 효력이 발생된 거다.

'이래서 약관을 다 읽어 보라는 건데…….'

차가운 미소가 종혁의 입가에 피어났다.

"어이구, 다 끝나셨습니까!"

센터의 센터장이 권순호 경사와 함께 다가오자 종혁은 센터장을 향해 허리를 숙였다.

"적극 협조해 주셔서 감사합니다."

"아, 아닙니다. 경찰 일인데 당연히 협력해 드려야죠. 그리고……."

센터장이 목소리를 낮춘다.

"저희 브랜드를 다섯 대나 가지고 계시는 오너신데요."

한국 지사에서 특별 관리하는 오너고, 이번 공문도 지사에서 내려왔다.

그래서 오늘 하루 센터를 쉬며 청소도 깨끗이 했다.

"하하. 홍보 많이 할게요. 여기 센터도."

"아이고, 그런 걸 바란 건 아닌데."

헤벌쭉 웃은 센터장은 수고하라며 돌아섰고, 권순호 경사는 혀를 내둘렀다.

"넌 진짜……."

종혁이 수사에 돈을 아끼지 않는다는 소리는 많이 들었어도 서비스센터 전체를 하루 대여할 만큼 막대한 돈을 쓸 거라곤 생각 못 한 그다.

"아무튼 수고했다. 저분이 살아난다면 네가 살린 거야."

종혁의 어깨를 두드린 권순호는 종혁이 손에 쥔 이희선의 머리카락이 든 증거물 보관 봉투를 봤다.

"이제 그걸 국과수에 넘기면 되겠네."

락스까지 뿌려 깨끗이 청소한 프런트이기에 오염도가 희박하다.

이하나는 똥머리로 머리를 고정시켰고, 직원으로 위장했던 다른 경찰들도 젤과 스프레이로 머리를 굳혔다.

바닥에 머리카락이 있다면 이희선과 두 아이의 것이다.

"네. 이게 확실한 증거가 되어 줄 테죠."

그녀의 몸이 정상이 되면서 사라질 중독 증거. 그리고 지금 그녀의 몸 상태가 얼마나 망가졌는지 나타낼 증거다.

그래서 법적인 문제가 생길 시 언제든 협조해 줄 거냐는 말도 덧붙였던 거다. 그게 비록 기만이라도 이희선과 영우, 희설을 살리기 위해선 어쩔 수 없었다.

"최 동지!"

"종혁아!"

종혁은 프런트에 설치해 뒀던 초소형 카메라 등을 수거해 다가오는 미하일과 무로이를 보며 핸드폰을 들었다.

"어, 차 가지고 와."

희선이 센터에 도착했을 때 스쳐 지나갔던 명품녀.

가출청소년 센터에서 섭외한 아이였다.

탤런트가 꿈인 아이.

─오빠! 나 이거 조금만 더 타면…….

"뒤질래?"

전화를 끊은 종혁은 파란 하늘을 보며 담배 연기를 뿜었다.

'이제 다음 단계로 넘어가야겠네.'

죽을 뻔한 피해자를 살렸으니 이제 용의자의 살해 의도를 알아낼 차례였다.

'제발 하찮고 찌질한 이유가 아니길 빈다.'

종혁의 이에서 담배 필터가 뭉개졌다.

* * *

이른 아침, 번쩍 눈을 뜬 이희선은 잠시 멍해져 있다가 이내 명치를 매만지며 활짝 웃었다.

그동안 콱 막힌 것처럼 답답하고 통증이 느껴지던 심장과 명치가 요 며칠 사이 아프지 않다.

몸도 가볍고 개운하다.

모두 서비스센터에서 받은 찐한 블랙커피맛 사탕, 아니 사탕처럼 만든 약을 복용한 이후부터다.

커피맛이 너무 진해서 애들도 한 번 맛보곤 학을 뗐던 약.

'역시 엄마 말처럼 산후 부작용이 뒤늦게 찾아온 거였나?'

"으으!"

기지개를 편 그녀는 화장실로 향했다.

그리고 잠시 후.

통통통!

귀를 두드리는 소리와 구수한 된장냄새에 눈을 뜬 정천우가 이희선이 누워 있던 자리를 바라보다 안방을 빠져나갔다.

"아, 일어났어요? 얼른 씻고 나오세요."

정천우는 눈을 가늘게 떴다.

'왜 저렇게 안색이 좋지?'

며칠 전부터 아내의 안색이 좋아지기 시작했다. 그래서 이온 음료에 섞는 쥐약의 양을 더 늘렸는데도 나빠지기는커녕 더 좋아지고 있었다.

'왜? 대체 왜?'

정천우는 급격히 마르는 입술을 혀로 핥았다.

"여보, 요새 뭐 좋은 거 먹어?"

"아니요?"

'들키면 안 돼!'

또 방방 뛸 거다.

남편을 속이는 게 양심에 찔리지만, 이희선은 얼른 산후 후유증을 털어 내고 남편을 더 열심히 내조하고 싶었다.

'그래야……'

이희선은 갑자기 욱신거리는 가슴을 애써 무시하며 천진난만하게 웃었다. 평소처럼.

"왜요?"

"……아니야. 그냥 예뻐서."

"피이. 화장도 안 했는데. 얼른 씻어요! 오늘도 출근한 다면서요!"

일요일에 출근하는 게 싫지만, 환자 때문이라니 어쩔 수 없이 이해하려는 그녀다.

"……아, 맞아. 그랬지."

고개를 끄덕인 정천우는 화장실로 들어갔다.

"다녀오째요!"

"조심히 다녀오세요."

아직 졸린 건지 눈을 비비는 아들딸과 아내의 배웅을 받으며 집을 나선 정천우는 차에 시동을 걸며 생각에 잠겼다.

"아무리 생각해도 이상해.'

"흠. 양을 더 늘려야 하나."

흠칫!

자신도 모르게 튀어나온 말에 화들짝 놀란 그는 블랙박스를 봤다가 이내 피식 웃었다.

설령 자신의 목소리가 녹음이 된다고 한들 상관없었다.

누가 자신의 블랙박스를 확인해 보겠는가?

여차하면 한 번씩 데이터를 삭제하면 그만인 문제였다.

띠리링!

─오빠, 어디쯤이에요?

"네, 효정 씨. 지금 출발해요. 오늘 어디 갈지 정했어요?"

미소 피어나는 얼굴로 차를 빼는 그는 몰랐다.

그가 맨션 주차장을 나서자마자 검은색 승합차가 따라 붙었다는 걸.

정천우는 이 모든 걸 꿈에도 모른 채 효정에게로 향했다.

＊　＊　＊

"드르렁."

뒷좌석에 앉은 미하일이 창문에 머리를 기댄 채 졸고 있다.

"헛! 미안."

마찬가지로 보조석에서 졸다가 고개를 번쩍 든 무로이가 사과를 건넸다.

종혁은 푸근히 웃었다.

"피곤하면 자요. 난 괜찮으니까."

"아니야. 그러면 안 되지. 예의가 아니잖아."

그냥 여행을 가더라도 예의가 아닌데, 지금은 미행을 하는 중이다. 코까지 골며 자고 있는 미하일이 나쁜 거였다.

양 볼을 치며 잠을 쫓던 무로이는 얼굴에 피로 한 점

없이 운전하는 종혁을 존경스럽다는 듯 봤다.

벌써 6일째.

지리가 익숙하지 않은 자신들을 대신해 종혁이 운전대를 잡은 시간이었다.

"정말 괜찮아? 지금이라도 바꿀까?"

종혁은 피식 웃었다.

"됐습니다. 차선이 반대인 나라에서 온 양반이 뭘 하겠다고."

"끄응."

"정말 아무렇지 않으니까 안심하고 자요."

이는 진심이다. 미행을 할 때 모두 깨어 있으면 오히려 안 좋기 때문이다.

정확히는 누군가는 체력을 비축하고 있어야 하는 거다. 갑작스런 상황이 생기면 곧바로 대처할 수 있게.

물론 지금 상황에선 그런 일이 벌어질 확률은 거의 없지만, 원만한 형사 생활을 하려면 기본으로 가져야 할 개념이다.

'그리고 겨우 이 정도 가지고 무슨.'

미행을 눈치챈 조폭들이 진로를 막을 염려도 없고, 뽕쟁이들이 차로 들이받을 위험도 없다. 또한 갑자기 추격전을 벌일 일도 벌어지지 않을 거다.

게다가 지금 타고 있는 차는 고가의 외제차다. 다 낡은 승용차를 끌고 미행을 다니던 시절과 비교하면 상전벽해 수준이었다.

시트 쿠션이 맛이 가서 생리 활동을 참는 것보다 허리가 아파서 견딜 수 없던 시절과 비교하면 말이다.

그래도 좀 심심한 건 어쩔 수 없었다.

'오늘은 좀 다른 곳에 가 주려나.'

그동안 집, 한방병원, 경마장만 왔다 갔다 한 정천우.

일관성이 있다면 참 일관성이 있는 놈이었다.

-치익! 여기는 1호차. 삼거리에서 좌회전한다.

1호차인 검은색 승합차를 모는 권순호의 무전.

'좌회전?'

종혁의 눈이 반짝이고, 무로이가 엉덩이를 들썩인다. 어느새 깬 미하일도 무전기를 뚫어져라 쳐다본다.

드디어 놈이 평소와 다르게 움직이기 시작한 거다.

종혁은 냉큼 무전기를 들었다.

"여기는 2호차. 따라붙겠습니다. 뒤로 빠질 준비해 주세요."

-치익. 수신.

곧 따라 붙은 종혁은 7미터 앞에서 나아가는 정천우의 외제차를 발견할 수 있었다.

그렇게 달리던 정천우의 차는 압구정의 한 2층 고급 주택 앞에 섰고, 잠시 후 봄처녀처럼 하늘하늘 원피스를 입은 효정이 나왔다.

'하.'

종혁은 헛웃음을 터트렸다.

이리 쪽, 저리 쪽 하는 둘.

한 쪽은 아내를 죽이려는 살인마고, 다른 쪽은 그런 그와 불륜을 저지르는 여자가 집 앞에서 난리블루스를 춘다.

그리고 2층 거실 창문에 선 중년 여성은 그런 둘을 흐뭇하게 보고 있었다.

목이 뻣뻣해지기 시작했다.

'이년놈들 봐라?'

까드득! 까드득!

"……시끄러워요, 쿄 형."

"넌 아무렇지도 않아?!"

종혁은 무로이를 봤다. 딱딱하게 굳어 있지만, 활활 타오르는 종혁의 눈을 본 무로이는 고개를 숙였다.

그에 종혁도 눈에 힘을 풀며 입을 열었다.

"쿄 형, 범인을 쫓는 형사는 절대 감정에 휩쓸리면 안 돼요."

형사가 감정에 휩쓸려 행동하면 사건을 망칠 수 있다. 그래서 검거 직전까지 형사는 감정을 눌러야 한다.

죽이고 싶어도, 수갑을 채우고 죽여야 한다.

그게 형사다.

실제로 감정에 휩쓸려 사건을 망치는 초임 형사들을 제법 봐 온 종혁은 단호히 말했고, 무언가 깨닫는 부분이 생긴 무로이와 미하일은 잠시 생각하는 시간을 가졌다.

ㅡ칙! 출발한다. 우리가 따라붙을게.

1호차에는 권순호뿐만 아니라 지원 요청을 받은 특수

범죄수사과 형사들이 타고 있었다.

살인미수는 확실하고, 여차하면 살인으로까지 번질 수 있는 사건이다. 종혁의 부탁 때문이 아니라도 지원하지 않을 이유가 없었다.

"예. 저도 곧 출발 하겠습니다."

이내 곧 다시 미행을 시작한 종혁은 정천우와 이효정이 도착한 곳을 보곤 피식 웃었다.

"이 씹새들이 영화를 볼 줄도 아네."

목적지가 경기도의 자동차극장이다. 어이가 없어서 웃음만 나왔다.

무로이와 미하일은 그런 종혁을 보며 어이없어했다.

'뭐? 왜?'

베테랑 형사는 이래도 됐다. 감정에 휩쓸린다고 해도 행동으로 옮기지 않으니까.

햇병아리인 둘과는 레벨이 달랐다.

그래도 얼굴이 살짝 달아오른 종혁은 고개를 돌렸다가 이내 눈을 동그랗게 떴다.

"어?"

타악!

차문을 닫으며 내린 이효정의 얼굴이 짜증으로 일그러져 있다.

아까까지만 해도 서로 죽고 못 살던 둘이 여기까지 오는 사이에 싸운 게 분명했다.

'왜?'

순간 의문이 들었지만, 그보단 기회란 생각이 떠올랐다.

종혁은 얼른 차에서 내렸다.

＊　＊　＊

'……또 여기야?'

정천우의 차가 서울의 빌딩 숲을 벗어나다 못해 먼 곳의 맛집에서 맛있는 음식을 먹을 때까지만 해도 싱글벙글했던 이효정의 표정이 해가 어스름히 저무는 오후, 익숙한 길로 접어들자 딱딱하게 굳었다.

그러다 결국 몇 번 와 봤던 자동차극장에 도착하자 부글부글 끓던 화가 결국 폭발했다.

"천우 씨…… 음?"

이효정은 스윽 내밀어지는 초대장 같은 봉투에 의아해했다.

"만날 이런 곳만 데려와서 미안해요. 그러니 다음 주 저녁은 좋은 곳에서 보내요."

진심으로 미안해하면서도 기대하는 표정.

일단 화를 누른 이효정은 봉투 속 내용물을 확인하곤 눈을 동그랗게 떴다.

'꺅!'

그녀는 터져 나오려는 비명을 겨우 참았다.

그럴 수밖에 없었다.

예약하기가 하늘의 별따기라는 레스토랑의 식사권과 최고급 호텔 스위트룸 숙박권이다.

하지만 그런 것보다는 이걸 힘들게 준비했을 정천우의 정성이 더 크게 다가왔다.

"……치이. 알긴 아나 보네요."

"당연히 알죠. 그래서 언제나 이렇게 불만 없이 따라와 주는 효정 씨가 고맙고요."

정천우는 그렇게 말하며 그녀의 어깨를 주물렀다.

"누가 봐요……."

"차 안에 있는데 보긴 누가 본다고. 그리고 보면 어때요? 내가 내 여자 어깨 주물러 주는 건데?"

꿈틀 입술이 흔들린 그녀의 화가 사르르 녹는다.

거기다 애인의 어깨를 진지하게 주무르는 내 남자의 얼굴.

'……그 여자는 이런 걸 받아 보기라도 했을까?'

묘한 성취감과 함께 가슴이 뻐근해질 만큼 충족감이 들었다.

"이만하면 됐어요. 저 팝콘 사 올게요."

"아니, 그건 제가……"

"어허. 운전하느라 힘든 사람은 스톱."

정천우의 볼에 입을 맞춘 그녀는 차문을 열었고, 못 말리겠다는 듯 고개를 젓던 정천우는 그런 이효정을 사랑스럽다는 듯 봤다.

그런데.

탁!

문이 닫히자 이효정의 표정이 굳는다.

'대체 언제까지 이렇게 비밀 데이트를 해야 되는 거야?'

레스토랑 식사권은 식사권이고, 이건 이거다.

언제나 자동차 안에서만 하는 데이트.

그 흔한 가로수길 데이트나 영화관 데이트는 해 본 적이 없고, 해수욕장은 꿈도 못 꾼다.

혹여 그런 곳에 가도 호텔을 벗어나지 못한다.

만약 차나 호텔을 벗어난다면, 어디 멀리에 있는 산에 등산을 갈 때나 어디 외진 곳에서 이름 모를 풀들을 볼 때뿐이다.

"짜증 나."

그녀는 혹여 정천우가 이 표정을 볼까 고개를 돌리며 매점으로 향했다.

"어머. 또 오셨네요? 남자친구가 너무 다정한 거 아니에요? 만날 여기까지 데려와 주고?"

순간 표정이 굳었던 효정은 옆에 선 덩치 큰 사내를 힐끗 보곤 애써 환하게 웃었다.

"그럼요. 팝콘이랑 버터오징어 주세요! 콜라도 두개!"

"네!"

잠시 후 여전이 웃는 낯으로 팝콘 등을 건네받으며 돌아선 그녀의 표정이 딱딱하게 굳는다.

"진짜 짜증 나. 내가 이런 델 오고 싶어서 온 줄 알아?"

그녀는 성큼성큼 차를 향해 걸었고, 핫바를 입에 물며 돌아선 덩치 큰 사내, 종혁은 그런 그녀를 보며 묘한 미소를 지었다.

"이것 봐라?"

왜인지 모르겠지만 여길 원해서 따라온 게 아니다. 아니, 정확히는 이런 곳이 아니라 이런 데이트가 싫은 거다.

'자동차극장. 차 안. ……비밀 데이트?'

수많은 불륜 커플이 하는 비밀 데이트다.

떳떳하지 못해 결코 사람 많은 곳을 갈 수 없는 불륜 커플이 하는 비밀 데이트를 정천우와 이효정도 하는 거다.

"……오호라."

뭔가 답이 보일 것 같았다.

이 심심한 미행을 끝낼 답이.

'이거 잘만 자극하면?'

종혁의 눈이 반짝이기 시작했다.

"여기 있습니다! 어휴, 많아라. 감사합니다!"

종혁은 정말 고마워하는 눈빛으로 커다란 봉투 꾸러미 두 개를 내미는 40대 여성을 봤다.

그러자 순간 재밌는 생각이 머리를 스쳤다.

"혹시 실례가 안 된다면 사장님을 뵐 수 있을까요?"

"……네?"

종혁은 어리둥절해하는 그녀를 향해 씩 웃어줬다.

　　　　* 　* 　*

　영화는 몇 달 전 개봉했던 외국의 로맨스 영화였다.

　남녀 주인공이 키스를 하면 정천우와 이효정도 서로 키스를 했고, 남녀 주인공이 서로의 몸을 탐닉하면 그들도 서로의 속살을 만졌다.

　선팅을 짙게 한 것도 모자라 저녁이라 안이 전혀 보이지 않는 차. 둘은 거침없었다.

　그러다 엔딩 크레딧이 올라가자 그들도 옷매무새를 다듬으며 출발할 준비를 했다.

　그 순간.

　─문이 열리네요.

　차 라디오에서 달콤한 발라드 노래가 흘러나온다.

　그리고 엔딩 크레딧을 비추던 스크린에서 예쁜 분홍색의 벚꽃이 점점 피어난다.

　뭔가를 직감한 이효정의 표정은 호기심 어린 표정을 지었다.

　"누가 프러포즈 하나 보네요."

　움찔!

　"그, 그러게요."

　정천우가 당황하는 이유를 알아차린 효정은 피식 웃으며 스크린을 봤다. 솔직히 얼른 빠져나가고 싶었지만, 정천우가 이런 걸 보고 배우길 바라서다.

"기대할게요, 천우 씨."

"……걱정 마요. 세상에서 가장 멋진 프러포즈를 해 줄 테니까."

열의로 타오르는 내 남자의 눈에 잔뜩 기대감을 머금었던 이효정은 이내 표정을 딱딱하게 굳혔다.

노래가 끝나서가 아니다. 벚꽃이나 사랑과 애정이 가득했던 영상이 끝나서도 아니다.

─사랑한다, 박효정! 결혼하자!

"……."

이효정은 정천우의 손등을 덮었던 자신의 손을 빼냈고, 정천우의 얼굴은 딱딱하게 굳었다.

빵빵!

─워후우!

─멋지다─!

주위에서 온갖 환호성이 쏟아지지만 둘은 웃을 수 없었다.

딱 이름 한 글자 차이.

'빌어먹을! 하필이면!'

힐끗 이효정의 얼굴을 살핀 정천우는 터져 나오려는 탄식을 겨우 삼켜야 했다.

"……가요."

"네."

침묵이 내려앉은 둘의 차는 그렇게 자동차극장을 빠져나갔다.

부우웅!

주위에 아무것도 없기에 더 크게 들리는 배기음.

곧 서울에 접어들며 온갖 소음이 그들을 두드렸지만, 침묵은 쉽게 깨지지 않았다.

부르릉!

"……천우 씨."

정천우는 집 앞에 도착하자 결국 침묵을 깨는 그녀의 부름에 한숨을 내쉬었다. 하지만 겉으로 표현하진 않았는데, 눈치가 빠른 효정은 그걸 캐치했다.

'지금 화를 내야 할 사람이 누구인데!'

타앙!

문을 거칠게 닫으며 차에서 내린 효정은 여느 때보다 시리도록 차가운 눈빛으로 입을 열었다.

"저번에도 이야기했지만, 날 너무 기다리게 하지 말아요. 그리고 그 거머리도, 애들도 제 눈앞에 보이지 않도록 해 줘요."

움찔!

영우와 희설. 아이들의 웃는 모습이 순간 떠올랐지만, 떠오른 속도만큼 지워지는 속도도 빨랐다.

'미안하지만 아빠도 아빠 인생 좀 살자!'

정천우는 효정을 지긋이 보며 웃어 주었다.

"……걱정 말아요. 세상에서 가장 행복한 결혼식, 결혼 생활을 하게 해 줄 테니까."

빤히 정천우를 보던 이효정은 고개를 끄덕이며 몸을 돌

렸고, 집으로 들어가는 효정을 빤히 응시하던 정천우는 이내 한숨과 함께 차를 출발시켰다.

그러다 얼마 가지 않아 멈춰 세우며 핸드폰을 들었다.

"난데. 그 쥐약 성능 좋은 거 맞아? 죽지를 않잖아, 죽지를!"

─아니, 그럼 끈끈이를 쓰든가요!

철물점을 이어받은 고등학교 후배.

만약을 대비하여 쥐약을 구한 흔적을 남기지 않기 위해 도움을 준 후배였다.

"몰라! 아무튼 더 센 걸로 준비해 놔! 알았지?!"

전화를 끊은 그는 불을 켜며 담배를 찾았다.

찰칵, 치익!

내려지는 창문 사이로 희뿌연 담배 연기가 빠져나간다.

"하아. 이희선 이 거머리 같은 년. 이 쥐약으로는 꼭 죽어라. 진짜 제발 죽어서 내 앞길 막지 마!"

뿌드득! 뿌득!

이를 갈던 그는 다 담배꽁초를 던지며 차를 출발시켰고.

계획대로 된 듯 정천우가 온갖 짜증과 분노를 터트렸다.

그리고 차에서 내리던 이효정의 차갑던 얼굴.

무로이와 미하일은 감탄을 하며 종혁을 봤다.

영화가 끝날 때 나온 프러포즈 영상.

그것을 만든 게 종혁이기 때문이다.

자동차극장을 빌린 것도 모자라 1시간 만에 프러포즈 영상을 만들어 상영시켰다.

'고작 저 반응을 이끌어내기 위해 그 많은 돈을……'

고작이라고는 할 수 없지만 그래도 어이가 없다.

그 시선을 받은 종혁은 어깨를 으쓱였다.

'김 감독님에게 감사해야겠네.'

1시간 만에 그런 영상을 만들 수 있었던 건 모두 인연을 맺은 김영진 감독이 그런 이벤트 영상 제작자를 소개시켜 줘서 가능했던 일이었다.

종혁은 무전기를 들었다.

"자, 그럼 마지막 단계로 넘어갑시다!"

* * *

띵동!

청소를 하던 이희선이 고개를 모로 기울인다.

"이 시간에 올 사람이 없는데? 네, 나가요! 누구……응?"

흠칫!

경찰 두 명이 이쪽을 보고 있다.

"당신은?"

그중 한 명은 남편의 차 유리창이 깨졌을 때 봤던 경찰, 종혁이다.

종혁은 거수경례를 했다.

"아, 쉬시고 계시는데 죄송합니다. 요새 이 동네에 자동차를 파손하고 도망치는 범죄자들이 있어서 그런데 협조를 좀 해 주실 수 있겠습니까?"

얼마 전 자신도 같은 상황을 겪었다. 그 때문에 오른 보험료 탓에 얼마나 속이 쓰렸던가.

"그런 거라면 도와 드려야죠! 그런데 제가 뭘 도와 드릴 수 있을지…….'"

"혹시 자동차 블랙박스 영상을 보여 주실 수 있으실까요?"

"아, 그런 거라면 얼마든지요."

그렇지 않아도 마침 오늘 아침 누가 자신들의 차 바로 뒤에 주차한 뒤 연락조차 되지 않아서 주차장에 남아 있는 상태다.

삑! 딸깍!

열린 차문 안으로 몸을 집어넣어 능숙하게 블랙박스를 분리한 종혁은 가져온 노트북과 연결했다.

"금방 확인할 테니 잠시만 기다려 주세요. 죄송합니다."

"아니에요. 그럼 전 저기 있을게요."

그렇게 그녀가 잠시 옆으로 비켜선 사이, 진호와 형사들은 블랙박스를 확인했다.

그리고.

─이희선 이 거머리 같은 년. 이 쥐약으로는 꼭 죽어라. 진짜 제발 죽어서 내 앞길 막지 마!

움찔!

찾았다.

증거를 확보했다. 명백한 살해 의도를 가진 용의자, 아니 피의자의 살인 예고를.

그토록 바라던 상황이었다.

하지만 왤까.

"뿌드드득!"

심장이 떨어져 나갈 것처럼 슬프고, 머리가 녹아 버릴 것처럼 화가 솟는다.

종혁은 애써 이희선을 봤다.

그리고 겨우 입을 떼서 그녀를 불렀다.

"사모님, 잠시 이것 좀 확인해 주시겠어요?"

"……네?"

"이쪽으로."

의아해하며 다가온 그녀는 이내 재생되는 화면에, 그리고 그 음성에 털썩 주저앉았다.

* * *

─그 거머리도, 애들도 제 눈앞에 보이지 않도록 해 줘요.

─……걱정 말아요. 세상에서 가장 행복한 결혼식, 결혼 생활을 하게 해 줄 테니까.

─이희선 이 거머리 같은 년. 이 쥐약으로는 꼭 죽어라.

진짜 제발 죽어서 내 앞길 막지 마!

종혁과 권순호는 망연자실 모니터를 보는 그녀의 모습에 눈을 질끈 감았다.

'이미 알고 있었구나.'

올 게 왔구나. 어쩌지?

그녀의 눈빛과 표정이 그렇게 말하고 있다.

왜 몰랐겠는가.

6년 동안 살을 부대끼며 살았는데 왜…….

남편이 불륜을 저지르는 것도 모자라 자신을 죽이려 했다는 것을.

어린 나이에 결혼해 여러 가지를 배우지 못했다고 해도, 아이들과 그녀 본인을 향한 남편의 눈빛이 달라졌다는 것을 눈치채지 못할 리가 없었다.

게다가 아이들도 남편을 어려워하기 시작했다.

이런데도 외면한 이유는.

필사적으로 직장 동료겠거니, 사촌이겠거니 외면한 이유는 가정을 지키기 위해서였다.

영우와 희설.

세상에서 가장 소중한 둘을 지키기 위해 참고 견뎠다.

남편을 떠볼 생각도, 알아볼 생각도 가지지 않았다.

그러나…….

눈앞에 명백한 증거가 들이밀어지자 더 이상 현실을 외면할 수 없었다.

"저…… 어떻게 해야 하죠? 저 어떻게 해요?!"

현실을 외면하며 간신히 부여잡고 있던 그녀의 정신이 와르르 무너져 내렸다.

패닉에 빠지고, 온몸이 덜덜 떨려 왔다.

종혁은 그녀의 어깨를 잡았다.

"정천우 씨는 바로 체포될 겁니다. 걱정하지 않으셔도 괜찮습니다."

"체, 체포요?"

이희선의 머릿속에 가장 먼저 아이들이 떠올랐다.

아빠가 교도소에 가면 아빠를 찾지 않을까.

나중에 아빠 없는 아이라며 손가락질을 받진 않을까.

그때, 종혁이 그런 그녀의 생각을 읽은 듯 말했다.

"진짜 아이들을 위한 게 어떤 걸까 생각해 보세요. 어머니시잖아요."

그 순간 방금 전 들었던 블랙박스의 대화 내용이 다시 한번 그녀의 머릿속에서 재생됐다.

애들도 눈앞에 나타나지 않았으면 한다는 여자의 말.

그러겠다는 남편의 대답.

그리고 아내도 나타나지 않게 할 거라며 쥐약을 먹인 남편.

"……어머니."

어머니.

그 단어가 가진 힘이 그녀를 혼란과 절망에서 일으켰다. 그리고 생기를 잃었던 그녀의 눈빛이 결연한 의지로 채워졌다.

아이들을 지키기 위해 강한 의지로 단단하게 굳은 눈빛.

그 눈빛을 확인한 종혁은 조금 마음의 짐을 덜어낼 수 있었다.

이제 남은 건…….

'지옥에 가자, 이 악마 새끼야!'

종혁은 이를 악물었다.

(회귀 경찰의 리셋 라이프 7권에서 계속)